퇴사준비생의 런던

[일러두기]

• 지명, 인명, 상호 등의 표기는 외래어 표기법을 따랐으나 몇몇 예외를 두었습니다.
• 국내에 소개되지 않은 책이나 영화 등은 원작의 의미를 살리기 위해 번역하지 않고 원어로 표기했습니다.
• 환율은 1파운드는 1,500원, 1유로는 1,300원, 1달러는 1,100원, 100엔은 1,000원으로 환산했습니다.

퇴사준비생의 런던

초판 1쇄   2018년 9월 13일 발행
초판 4쇄   2018년 11월 1일 발행

지은이   이동진, 최경희, 김주은, 민세훈
펴낸이   이동진
편집   이동진
디자인   트래블코드, 내일의 제안, 조문영
교정교열   김이화
인쇄   새한 문화사

펴낸곳   트래블코드
주소   서울시 종로구 종로 51 19층 104호
이메일   contact@travelcode.co.kr
출판등록   2017년 4월 11일 제300 2017 54호

ISBN   979 11 960827 2 7 03320
정가   15,000원

여행에서 찾은 비즈니스 인사이트

이동진 외 지음

퇴사준비생의 런던

누구나, 언젠가, 한번쯤
여행에서 미래를 만납니다

'Mind the gap'

런던 지하철을 타면 열차와 플랫폼 사이의 간격을 조심하라는 안내 방송을 돌림노래처럼 들을 수 있습니다. 과도한 경고처럼 들릴 수 있지만, 퇴사준비생의 관점으로 런던을 여행하기 위해서는 주문을 외우듯 되뇌어야 한 말이었습니다. 목적지를 향하는 지하철 문이 열릴 때마다 런던과의 간극에 어지럼증을 느낄 수 있기 때문입니다. 열차를 퇴사준비생으로 바꾸고 플랫폼을 런던이라는 도시로 치환하면 'Mind the gap'은 주의를 환기하는 멘트가 아니라 간극이 주는 자극에 대한 마음의 준비를 하라는 조언으로 들립니다.

런던으로 떠나며 비즈니스 아이디어와 인사이트를 얻을 수 있는 목적지들이 도쿄만큼 많을지 걱정했지만, 쓸모없는 고민이었습니다. 서울에서 리서치를 통해서 발견할 수 있는 정보가 제한적일 뿐이었습니다. 사전 조사를 충분히 했다고 생각했으나 현장은 달랐습니다. 런던은 뽐내지 않고 비즈니스의 감도를 높여가며 이방인이 공부한 만큼 또는 발로 뛴 만큼만 보여주는 도시였습니다. 미래를 고민하고 실력을 키우려는 퇴사준비생이 도쿄와는 또 다른 자극과 영감을 얻을 수 있는 곳이었습니다.

'Mind the gap'

지하철을 탈 때마다 들리는 안내 방송은 런던과 서울의 차이뿐 아니라 오늘과 내일 사이의 간극에 대한 조언이기도 했습니다. 그리고 이 간극은《퇴사준비생의 도쿄》로 시작해《퇴사준비생의 런던》으로 이어지는 '퇴사준비생의 여행' 시리즈의 출발점이기도 합니다. 퇴사준비생의 여행 시리즈는 퇴사를 장려하는 책이 아니라 '퇴사 준비'를 권장하는 콘텐츠입니다. 바라는 미래와 멈춰진 현재 사이의 차이를 인지하고 책상 너머의 세상을 경험하며 회사 생활을 하는 동안 자립할 수 있을 만큼의 실력을 키울 수 있도록 돕는 것이 목적입니다.

간극은 시간이 흐른다고 줄어들지 않습니다. 의도와 의지를 가지고 주체적으로 좁혀나가야 합니다. 회사에서 비전을 찾을 수 없다고, 상사와 마음이 맞지 않는다고, 하는 일이 재미가 없다고 해서 오늘을 의미 없이 흘려보내면 일상은 달라지지 않고 내일에 대한 상상은 망상에 그칩니다. 시간을 때우기보다 채우기 시작할 때 이상과 현실의 간극이 메워질 수 있습니다. 또한 이렇게 하루를 쌓아가는 과정은 더 나은 내일을 위한 일이기도 하지만 더 나은 오늘을 위한 일이기도 합니다. 쳇바퀴를 돌리는 소모적 기분이 아니라 나선형 계단을 오르는 성장의 기쁨이 생기기 때문입니다.

'Mind the gap'

서울로 돌아와서도 런던을 떠올릴 때마다 귓가에 맴도는 안내 방송은 런던에서 발견한 비즈니스 아이디어와 인사이트를 적용할 때 놓치지 않아야 할 조언이기도 합니다. 런던과 서울은 다른 도시입니다. 소득 수준, 소비 문화, 생활 방식 등의 사회문화적 맥락에서 차이가 있습니다. 그렇기 때문에 서울에서 경험하기 어렵던 아이템이나 매장을 찾아 서울에 그대로 적용했다가는 뜻대로 작동하지 않을 가능성이 높습니다. 눈에 보이지 않는 맥락Context은 눈 앞에 드러난 결과물만큼이나 중요합니다.

고민의 결과가 아니라 '고민의 과정'을 벤치마킹해야합니다. 핵심은 본질과 원리를 이해하는 것입니다. 어떤 배경에서 도달한 결론인지, 어떤 이유에서 접근한 시도인지 또는 어떤 문제에서 출발한 해답인지를 분석하고 상상하며 디코딩Decoding할 필요가 있습니다. 똑같은 결과물을 구현하더라도 본질과 원리를 이해하고 만드는 것과 형태적으로만 따라하는 것 사이의 차이는 큽니다. 퇴사준비생의 관점으로 비즈니스 아이디어와 인사이트를 발견하는 여행을 떠나는 이유는 검색으로는 찾을 수 없는 영감을 구하고, 사색으로는 떠올릴 수 없는 힌트를 얻기 위함이지 카피하려는 의도가 아닙니다.

진부한 것을 진보적으로

"내가 멀리 볼 수 있었던 건 거인의 어깨 위에 올라섰기 때문입니다."

만유인력의 법칙을 발견한 영국의 과학자 아이작 뉴턴Isaac Newton의 말입니다. 그보다 먼저 연구를 선행했던 사람들의 업적이 있었기에, 그의 과학적 발견이 가능했다는 설명입니다. 영국을 대표하는 과학자의 겸손한 표현이 《퇴사준비생의 런던》에도 필요한 건 런던을 관통하는 맥락이 담겨 있기 때문입니다.

과거를 계승하여 미래로 나아가려는 생각이 영국의 바탕 정서이자 런던의 현재 모습을 만드는 근간입니다. 과거를 부정하기보다 과거 위에 올라섭니다. 과거의 유산을 남긴 채 새로운 변화를 시도하기에 과거와 현재가 공존합니다. 그래서 도시 풍경이 다채롭습니다. 또한 과거의 명맥이 이어져 현재에 이르렀듯이, 현재의 흔적이 쌓여 미래에 다다를 거라 예상할 수 있어 일에 의미를 담고 신중을 더합니다. 신뢰와 기대를 바탕으로 지속가능성이 생길 수 있는 사회적 자본인 셈입니다.

재정의Redefine, 재발견Rediscover, 재구성Redesign

과거를 부수지 않고도 미래를 만들어 가는 런던의 모습을 들여다보기 위한 렌즈이자, 《퇴사준비생의 런던》의 키워드입니다. 기존의 관점과 각도를 달리해 '재정의' 하거나, 그동안 주목하지 않았던 가치를 '재발견' 하거나, 해오던 방식에 변화를 주어 '재구성' 하는 등의 접근으로 진부한 것을 진보적으로 바꾼 런던의 고민과 진화를 기록하고자 합니다. 파괴적 혁신이 아니라 '축적된 혁신'이 만드는 오래된 미래가 런던에서 발견한 비즈니스 아이디어와 인사이트의 중심축입니다.

마지막 페이지가 없는 책

《퇴사준비생의 도쿄》에 이어 《퇴사준비생의 런던》을 기획하고 제작하면서 틀을 깨는 비즈니스 아이디어와 인사이트에 대해 고민하다보니, 스스로에 대한 질문이 떠올랐습니다.

"책에는 꼭 마지막 페이지가 있어야 할까요?"

물론 하나의 주제에 대해 매듭을 짓는다는 측면에서는 마지막 페이지가 필요합니다. 하지만 크리에이티브가 넘치는 도시에서 비즈니스 아이디어와 인사이트를 발견하는 '퇴사준비생의 여행' 시리즈와 같은 콘텐츠는 하나의 도시에 대해 마침표를 찍기가 어렵습니다. 도시는 계속해서 진화하고 크리에이티브에는 끝이 없기 때문입니다.

또한 책이라는 틀은 콘텐츠를 담는 전통적인 컨테이너이면서도, 콘텐츠를 입체적으로 담기에는 한계가 있는 컨테이너이기도 합니다. 마지막 페이지가 있어 도시에서 찍은 사진들을 마음껏 공유하는 데 제약이 있고, 지면에 표현해야 하는 관계로 동영상을 공유하는 데도 불편함이 있습니다.

게다가 책이라는 형식이 갖는 보편적 기대로 인해 메시지와 스토리텔링 구조가 있는 완성된 형태의 콘텐츠를 실어야 합니다. 그래서 비즈니스 아이디어와 인사이트가 돋보이는 매장 혹은 브랜드이지만 책에 포함시키기에는 형식을 갖추기 어려워서 제외한 콘텐츠들이 책 밖에서 줄줄이 대기 중입니다.

이러한 한계를 극복하기 위해《퇴사준비생의 런던》책의 마지막 페이지를 온라인 페이지와 연계하고자 합니다.

'Bag to the future' (bagtothefuture.co)

'퇴사준비생의 여행' 시리즈와 연계된 온라인 사이트이자 멤버십 커뮤니티입니다. 영화 <백 투 더 퓨처Back to the future>에서 영감을 얻어 '여행 가방을 메고 미래를 찾아 나선다'는 의미를 담아 만들었습니다. 미래 지향적이고, 주체성 있으며, 자기 일에 열정적인 성향을 가진 퇴사준비생들을 위한 온라인 사이트이자,《퇴사준비생의 런던》의 마지막 페이지를 덮기 아쉬운 독자들을 위한 콘텐츠입니다.

지금부터 마지막 페이지가 없는 책의 첫 페이지가 펼쳐집니다. 런던으로 떠나고 싶은 마음이 드는 건 덤입니다.

Redefine

보통의 고급 레스토랑은 평일의 손해를 주말 장사로 메꿉니다. '밥 밥 리카드'는 당연한 듯 여겼던 방식에 의문을 품습니다. 문제를 해결하기 위해 음식의 맛은 기본이라는 전제를 깔고, 음식이 아니라 공간을 팔기로 합니다.

'B.Y.O.C.'는 칵테일 바입니다. 이 곳에 가려면 불편함을 감수해야 합니다. 술을 직접 사서 가야 하고, 입장료도 내야 하며, 시간 제한도 있습니다. 런던에 칵테일 바가 없는 것도 아닌데 고객들이 B.Y.O.C.를 찾는 이유는 무엇일까요?

주방용품을 만드는 '조셉 조셉'의 창업자인 조셉 형제는 요리에 대한 조예가 깊지 않습니다. 하지만 그들이 내놓는 제품들은 전문가들의 눈에는 보이지 않던 주방의 문제를 해결합니다. 때로는 몰라야 비로소 보이는 것들이 있습니다.

재발견

Rediscover

재구성

가격표 대신 (+)태그가 붙어있는 가구점
: 오프라인 매장은 온라인 매장으로 연결되는 문

온라인 쇼핑에 밀려 쇼핑 매장의 설자리가 점점 좁아지고 있습니다. 쇼핑 매장은 사라질 수밖에 없는 운명일까요? '메이드'는 가상현실이나 증강현실을 접목시킨 매장들보다 더 현실적인 방법으로 쇼핑 매장의 쓸모를 찾았습니다.

하나의 매장으로 100개국에 단골을 둔 패션 편집숍
: 마니아들에겐 국경이 없다

럭셔리와 스트리트 패션이 섞여 있습니다. 여성복과 남성복의 경계도 모호합니다. 매장인지 클럽인지 헷갈리기도 합니다. 편집의 기준이 없어 보여도, 알고보면 정체성이 뚜렷합니다. 패션 피플들의 관심이 쏠리는 이유가 있는 곳입니다.

낙서를 할 수 있는 다이아몬드 반지 매장
: 가격을 낮추면서도 가치를 높이는 방법

'바쉬'는 최저가를 보장하는 다이아몬드 반지 매장입니다. 하지만 가격 파괴가 역효과를 불러일으키기도 합니다. 가격이 가치를 반영하는 신호 역할을 하기 때문입니다. 딜레마의 상황에서 바쉬는 어떤 아이디어를 냈을까요?

Redesign

제품 종류의 개수는 중요합니다. 고객들은 제품 종류가 지나치게 많으면 선택장애에 빠지고, 몇 개 없으면 고르는 재미를 잃습니다. 비스포크 안경점 '큐비츠'는 다양함을 제시하면서도 심플함을 유지하는 방법을 보여줍니다.

런던의 날씨는 포도 재배에 적합하지 않습니다. 그래서 런던과 와이너리는 낯선 조합입니다. 그렇다면 런던에선 와인을 수입해서만 마셔야할까요? '로버슨 와인'은 통념을 깨고 런던에 포도밭에서 해방된 와이너리를 만들었습니다.

5성급 호텔로 보기에는 가격이 저렴합니다. 그렇다고 3성급 호텔로 보자니 시설이 고급스럽습니다. 호텔에 대한 기존의 기준으로는 정의하기 어려운 '시티즌M 호텔'에는 경영의 기분을 나게하는 경영의 기본이 담겨있습니다.

재정의.

골즈보로 북스

2만 원짜리 책을 200만 원에 파는 서점
제품을 작품으로 바라보면 가격이 달라진다

배에 술을 태우고 세계일주를 합니다. 수출하기 위해서가 아니라 주조하려는 목적입니다. 노르웨이의 전통주 아쿠아비트Aquavit를 만드는 브랜드 리니Linie는 4개월 남짓한 시간 동안 35개국을 떠돌아 다니며 셰리통에 채운 술을 숙성시킵니다. 200년이 넘는 시간 동안 이어온 전통의 숙성방법을 고수하는 것입니다. 주조 기술이 발달하여 더 저렴하고 편리한 방법으로 술을 만들 수 있음에도 불구하고 과거의 방식을 고수하는 이유는 무엇일까요?

　　리니 아쿠아비트의 제조 방식은 창의적 기획이 아니라 우연한 기회의 산물입니다. 시작의 역사는 1805년까지 거슬러 올라갑니다. 노르웨이의 어느 무역상이 아쿠아비트를 팔기 위해 인도네시아까지 갔다가 허탕을 치고 돌아옵니다. 팔지 못한 술을 버릴 수는 없어 사람들과 나눠 마셨는데, 이상하게도 아쿠아비트의 맛이 향상된 것을 발견했습니다. 양조장에서 여러 시도를 하며 맛을 재현해봤으나 비슷한 맛이 나지 않았습니다. 결국 비법을 찾을 수 없어 배를 다시 띄워 제조하기 시작했습니다. 새로운 시장을 개척하는 데는 실패했지만, 새로운 제품을 개발하는 데는 성공한 셈입니다.

아쿠아비트는 세계일주를 하고 나면 더 맛있어집니다. 북유럽에서 출발해 적도를 두 번 지나는 동안 온도의 변화에 따라 숙성되고 파도의 리듬에 따라 풍미가 생깁니다. 게다가 바다를 가로지른 시기에 따라 온도와 파도에 차이가 있어 술맛이 미묘하게 달라집니다. 품질 관리가 어렵다고 볼 수도 있지만, 동일한 맛에 대한 미련을 버린다면 서로 다른 배를 타고 각자의 길을 떠난 술들은 자연스레 한정판이 됩니다. 한때 리니 아쿠아비트는 이 숙성 방법을 비밀에 부쳤으나 이제는 모든 라벨에 항해 일지를 표기해 스토리로 풀어냅니다. 알코올뿐만 아니라 스토리까지 담아 술의 가치를 높이기 위함입니다.

스토리가 알싸한 전통의 방식을 고수한 덕분에 리니 아쿠아비트는 보통의 아쿠아비트보다 가격이 높습니다. 노르웨이 아쿠아비트 주요 브랜드들의 가격을 비교해보면, 보통 용량인 0.7리터의 경우 뢰이텐Løiten이 약 6만 9,000원, 길드Gilde가 약 6만 2,000원, 아틀룽스타드Atlungstad가 약 6만 8,000원으로 고만고만합니다. 반면 리니 아쿠아비트는 약 7만 4,000원으로 주요 브랜드들의 평균 대비 12%가량 높습니다. 제조 원가의 요소가 반영된 부분도 있겠지만 스토리텔링의 요소가 끌어올린 가격이라 볼 수 있습니다. 제조 원가만 고려해 가격을 올렸다면 고객들의 지불 가치 수준을 높이지 못했을 가능성이 큽니다.

리니 아쿠아비트의 사례처럼 약간의 스토리를 추가하는

것으로도 제품의 가치가 달라지는데, 제품 자체가 스토리인 책은 예외인 듯 보입니다. 같은 장르의 책이라면 가격대가 정해져 있습니다. 스토리의 흥미진진함, 저자의 유명세, 제작 과정의 비화 등은 가격에 반영되지 않습니다. 장르의 가격대를 뛰어 넘는 값을 받을 수 있는 책은 두꺼운 책뿐입니다. 책이니까 그래야만 하는 걸까요? 런던의 '골즈보로 북스Goldsboro Books' 서점은 책의 가치를 높일 수 있는 방법을 보여줍니다.

서명받은 초판을 파는 책방

런던을 더 낭만적으로 만드는 건 거리 곳곳에서 발견할 수 있는 작은 책방들입니다. 런던에서 가장 아름다운 서점으로 불리는 돈트 북스Daunt Books, 영국 왕실에 도서를 납품하는 해차드Hatchards, 개인 서재 컨설팅인 비스포크 서재 서비스로 유명한 헤이우드 힐Heywood Hill, 20세기 여류 작가들의 책을 판매하는 페르세포네 북스Persephone Books, 만화 장르에만 집중하는 고쉬Gosh, 요리 관련 책 전문 서점인 북스 포 쿡스Books for Cooks 등 저마다의 뚜렷한 개성을 분위기 있게 드러냅니다.

런던 거리를 런던답게 만드는 서점들 중에서도 특히 더 호기심이 생기는 곳이 골즈보로 북스입니다. 고서적 거리인 세실 코트Cecil Court에 위치한 이 작은 책방은 컨셉이 분명합니다. 서명받은 초판을 팝니다. 저자의 사인을 스캔해 인쇄한 것이 아니라 저자가 직접 서명한 책들입니다. 저자의 타계 등으로 서명을 받

1

골즈보로 북스 매장 전경입니다. 런던의 고서
적 거리인 세실 코트에 위치해 있습니다.

을 수 없는 경우는 초판을 구해서 매대에 진열해 둡니다.

컨셉은 분명했지만 1999년에 오픈한 상대적으로 젊은 서점이 고서적 거리에서 두각을 나타내기는 쉽지 않았습니다. 그러던 어느날, 서점을 연지 14년 만에 골즈보로 북스가 주목을 받는 계기가 생깁니다. 골즈보로 북스의 주인은 로버트 갤브레이스Robert Galbraith가 쓴 《쿠쿠스 콜링The Cuckoo's Calling》이라는 소설의 높은 완성도를 눈여겨봤고, 독자들에게 추천할 만한 책이라고 판단해 250권의 책에 저자 사인을 받아서 보내달라고 출판사에 요청합니다.

추리 소설인 《쿠쿠스 콜링》은 스토리에 반전이 있는 건 물론이고, 소설책 자체에도 반전이 있었습니다. 이 소설은 《해리 포터Harry Potter》를 쓴 J.K. 롤링J.K. Rowling이 로버트 갤브레이스라는 필명으로 쓴 소설로 그녀가 유명세에 기대지 않고 스토리만으로 승부하기 위해 쓴 책이었습니다. 책의 내용은 바뀐 게 없지만, 진짜 저자가 드러나자 16.99파운드(약 2만 5,000원)였던 초판 서명본은 가치가 100배 이상 뛰어 1,750파운드(약 263만 원) 정도에 거래가 이루어졌습니다.

골즈보로 북스가 전 세계에서 유일하게 《쿠쿠스 콜링》의 초판 서명본을 250권이나 보유하고 있었으니 대박이 났을거라 짐작할 수 있습니다. 하지만 여기에 또 한 번의 반전이 있습니다. 골즈보로 북스는 폭등하는 시세를 따르지 않고, 《쿠쿠스 콜링》 초판 서명본을 서점 및 직원 소장용으로 4권만 남겨둔 채 처음 가격 그대로인 16.99파운드에 팔았습니다. 진짜 저자가 알려질 당시 재고 수량이 100권만 있었다고 가정해도 2억 6,000만 원 상당을 포기한 셈입니다.

100배의 수익을 포기했으니 자연스럽게 세간의 이목이 집중되었습니다. 골즈보로 북스는 이 기회를 수익보다는 명성을 얻는 데 활용했습니다. 책을 선별하는 안목을 인정받으며, 큐레이션이라는 보이지 않던 핵심 경쟁력을 독자들이 눈으로 확인할 수 있는 계기로 삼은 것입니다. 하지만 여전히 의문이 남습니다. 서명이 없어도, 초판이 아니어도 책을 큐레이션하는 데 지장이 없을텐데 골즈보로 북스는 어떤 연유로 유독 저자의 서명과 초판에 초점을 맞추는 것일까요?

#1. 미래가 있는 책을 팝니다

같은 책이라면 내용이 동일합니다. 그래서 하나의 책은 하나의 가치를 가집니다. 하지만 고객층을 구분해보면 같은 책도 가치가 달라질 수 있습니다. 타깃 고객을 애서가로 뭉뚱그리지 않고, 수집가적 성향을 가진 애서가로 세분화하면 책값을 높일 수 있는 방법이 생깁니다. 그들은 책의 현재 가치보다 미래 가치에 더 관심을 갖기 때문입니다. 물론 오늘 출간한 책이 시간이 지난다고 가치가 높아지는 것은 아닙니다. 오히려 신간의 자격을 잃게 되어 가격이 떨어지는 것이 보통입니다. 그럼에도 불구하고 책의 속성을 활용하면 책에도 프리미엄을 붙일 수 있습니다.

책은 형태적으로 보면 글자의 집합이지만, 속성적으로 보면 생각의 표현입니다. 이러한 책의 속성이 문학이라는 장르와 만나면 책은 책이 아니라 작품으로 바뀝니다. 창작의 도구가 글자일 뿐, 그림이나 사진 등과 마찬가지로 예술 작품에 속하는 것입니다. 책을 예술 작품으로 바라보면 가격에 대한 틀이 깨집니다. 예술 작품의 가격을 제작 원가나 작품 크기 등으로 매기지 않고 예술적 가치와 작품의 인기에 따라 결정하듯이, 문학 작품도 제작 원가나 고객 기대 수준 등을 바탕으로 정해진 가격대로부터 자유로워질 수 있습니다. 시간이 흘러 예술적 가치가 높아지면 책의 가격도 덩달아 올라갈 수 있다는 뜻입니다.

하지만 문학 장르의 책이 현실적으로 예술 작품의 값어치를 갖기는 어렵습니다. 여느 예술 작품들처럼 유일성 혹은 희소성이 있어야 하는데, 과거처럼 필사하여 책을 만드는 것이 아니라 책을 인쇄하여 찍어내면서 유일성은 물론 희소성도 사라졌습니다. 복제가 쉽고 진품과 가품에 대한 구분이 없으므로 저자Author의 권한Authority은 분명하지만 작품의 원본Originality은 모호해졌습니다. 이러한 한계를 극복하고자 골즈보로 북스는 초판본에 서명을 받아서 판매하며 문학 작품을 예술 작품으로 승화시킵니다.

책의 초판은 그 자체로 한정판이자 작가 정신을 대변하는 역할을 합니다. 출판사는 손익분기점을 넘으면서 판매 가능할 것으로 예상하는 수량을 초판으로 발행한 후 판매 추이를 지켜보며 증쇄 여부를 결정합니다. 그래서 초판이 나온 시점에서는 책이 더 만들어질지 알 수 없습니다. 추가 제작할만큼 충분한 수요가 없다면 초판은 자연스레 한정판으로서의 의미를 갖고, 반대로 독자들의 반응이 있어 추가로 쇄를 늘린다 하더라도 초판은 한정판으로서의 의미를 잃지 않습니다. 작가가 판매량과 관계없이 작품 세계를 표현하기 위해 세상에 첫선을 보인 오리지널의 성격을 갖기 때문입니다. 여기에 작가 서명이 있다면 희소성과 함께 오리지널로서의 가치가 높아집니다.

《쿠쿠스 콜링》도 J.K. 롤링이 진짜 저자로 밝혀진 후 서명이 없는 초판본이 1,000파운드(약 150만 원)에 거래되었고, 초판 서명본은 1,750파운드(약 263만 원)까지 가격이 뛰었습니다. 《쿠쿠스 콜링》과 같은 사례는 드물지만, 여전히 문학 작품으로서 책의 가치가 높아지는 사례는 골즈보로 북스의 책장 곳곳에서 발견할 수 있습니다.

존 맥그리거Jon McGregor의 《Reservoir 13》은 2017년 맨부커상Man Booker Prize 후보에 오르고 각종 매체의 '올해의 책'으로 선정되며 초판 서명본의 가치가 24.99파운드(약 3만 7,000원)에서 129.99파운드(약 20만 원)로 5배 이상 높아졌고, 메간 헌터Megan Hunter가 쓴 《The End We Start From》의 초판 서명본은 9.99파운드(약 1만 5,000원)였는데, 영화화되면서 책값이 3.5배가량 뛰어 34.99파운드(약 5만 2,000원)에 판매 되었습니다. 또한 《The Other Hoffman Sister》는 2015년에 각종 상을 수상하며 등단했던 벤 퍼거슨Ben Fergusson이 쓴 세 번째 책으로, 이번 책 출간 이후 유명세가 더해지며 14.99파운드(약 2만 2,000원)였던 초판 서명본의 가격이 2배인 30파운드(약 4만 5,000원)까지 올랐습니다. 모두

2017년 5월부터 2018년 5월까지 1년 사이에 일어난 일입니다.

#2. 어디에도 없는 책을 팝니다

초판에 서명을 받는 것으로도 문학 작품을 어느 정도 예술 작품화시킬 수 있습니다. 하지만 여전히 희소성과 오리지널리티가 희석될 가능성이 있습니다. 누군가가 초판에 작가의 서명을 받으면 초판 서명본이 늘어납니다. 그래서 골즈보로 북스는 문학 작품의 수집 가치를 높이기 위해 골즈보로 북스에서만 판매하는 독점Exclusive 에디션을 출판사와 협업하여 제작합니다.

　독점 에디션은 초판에 서명을 받는다는 점에서는 다를 바 없지만, 희소성과 오리지널리티를 강화한다는 점에서는 차이가 있습니다. 우선 독점 에디션은 예술 작품의 표기 방식을 차용합니다. 독점 에디션으로 제작한 부수를 분모에 명시해두고, 해당 책이 그 중에 몇 번째인지를 분자에 표시합니다. 예를 들어 '17/500'이라고 적혀 있으면, 독점 에디션 500권 중에 17번째 책이라는 뜻입니다. 여기에 책 디자인도 달리해 독점 에디션의 차별성을 더합니다. 커버를 양장본으로 만들거나 페이지를 넘기는 면에 색깔을 입히는 식으로 포인트를 표현해 표지를 들춰보지 않아도 차별화된 책이라는 것을 알 수 있게 합니다.

　예술 작품 표기 방식의 도입과 디자인의 변형을 통해 저자가 인정하는 오리지널 작품의 수를 한정하니 문학 작품의 예술 작품으로서의 가치가 높아집니다. 그래서 독점 에디션은 책값

1
《뿌리깊은 나무》,《바람의 화원》 등으로
유명한 이정명 작가가《별을 스치는 바람》
영문판에 저자 서명을 한 책입니다.《별을
스치는 바람》은 한국 작가의 책 중 최초로
골즈보로 북스에 입점했습니다.

2
독점 에디션은 예술 작품의 표기 방식을 차
용하여 한정판이라는 것을 명시합니다.

3
독점 에디션의 경우, 양장본으로 만들거나
페이지를 넘기는 면에 색깔을 입히는 방식
등으로 포인트를 더해 일반 버전의 책과 차
별화합니다.

4
골즈보로 북스는 매달 한 권의 책을 '이달
의 책'으로 선정해 추천합니다. 대부분의
이달의 책은 골즈보로 북스가 출판사와 협
업하여 독점 에디션이자 한정판으로 제작
합니다.

도 다릅니다. 초판에 서명을 받은 책들은 저자의 유명세, 세간의 평가, 작품의 영화화 등 외부 이슈에 의해서 책값이 달라지긴 하지만, 출간 당시의 초기 가격은 일반 서점에서 서명없이 판매하는 책들과 동일합니다. 반면 독점 에디션은 초기 가격부터 일반 서점에서 판매하는 책들보다 높습니다.

출간 시점의 가격을 영국의 대표 서점인 포일스^{Foyles}와 비교해보면 차이가 보입니다. 존 맥그리거의 《Reservoir 13》도, 제니퍼 지납 주카더^{Jennifer Zeynab Joukhadar}의 《The Map of Salt and Stars》도, 노엘 오라일리^{Noel O'Reilly}의 《Wrecker》도 포일스에서 14.99파운드(약 2만 2,000원)에 판매할 때 골즈보로 북스에서는 24.99파운드(약 3만 7,000원)에 판매했습니다. 골즈보로 북스의 독점 에디션 가격은 일반 서점에서 파는 보통의 초판 대비 10파운드(약 1만 5,000원)가량 높으니, 세상에 첫선을 보이자마자 60% 이상의 프리미엄이 붙는 셈입니다. 시간이 흘러 외부 이슈가 생긴다면 독점 에디션은 보통의 초판 서명본보다 가치가 더 높아질 가능성이 큽니다.

예술 작품처럼 독점 에디션을 만들면 책의 가치가 높아지지만, 출판사 입장에서 보면 무턱대고 환영할 만한 시도는 아닙니다. 한정판이라 제작 부수가 보통은 500권 내외이고 많아야 1,000권인데, 이럴 경우 규모의 경제를 실현할 수 없어 제작 단가가 높아질 뿐만 아니라 같은 책을 이중으로 제작하고 관리해야 하는 번거로움이 생기기 때문입니다.

출판사의 협조를 구하기가 어려워 2005년부터 2013년까지는 대략 2년에 1권 꼴로만 독점 에디션을 출간했습니다. 존재감 없이 지지부진하던 독점 에디션 제작에 탄력이 생긴 건 2013년에 《쿠쿠스 콜링》으로 골즈보로 북스가 주목을 받은 이후부터입니다. 골즈보로 북스의 큐레이션이 인기를 끌자 출판사들이 보다 적극적으로 골즈보로 북스와의 제휴에 나섰습니다. 2014년에 9권으로 제작 권수가 급증한 후 2017년에는 32권까지 늘어났습니다. 골즈보로 북스의 인기로 인해 독점 에디션이 증가하고, 독점 에디션 덕분에 골즈보로 북스의 인기가 높아지는 선순환 구조가 형성된 것입니다.

#3. 컨셉을 살리는 책을 팝니다

저자의 서명을 받을 초판을 선정한다는 건 책을 큐레이션한다는 뜻입니다. 이미 책방의 컨셉 자체에 큐레이션 기능이 포함되어 있지만, 골즈보로 북스는 그중에서도 매달 한 권의 책을 '이달의 책Book of the month'으로 선정해 추천합니다. 이달의 책들 중 다수가 선정 이후 세간의 호평을 받거나, 각종 문학상 후보에 오르거나, 영화화되었을만큼 골즈보로 북스의 선구안은 뛰어납니다. 게다가 대부분의 이달의 책은 골즈보로 북스가 독점 에디션으로 발간한 책이라 미래 가치도 높습니다.

이달의 책을 추천하는 데 그치지 않고 구매를 하도록 유도합니다. 골즈보로 북스는 혜택이 파격적인 무료 멤버십을 운영하는데, 이달의 책을 구매한 고객들만 가입할 수 있도록 자격 조건을 제한했습니다. 멤버십 이름도 '이달의 책 클럽Book of the month club'입니다. 조건부의 멤버십 가입 정책이 상술처럼 보일 수도 있지만, 그렇다고 하기엔 혜택이 고객 친화적입니다.

이달의 책을 구매하며 멤버십에 가입하면 이달의 책과 별개의 책 한 권을 공짜로 얹어줍니다. 재고떨이용 책이 아니라 골즈보로 북스에서만 판매하는 독점 에디션입니다. 미래에 어떤 계기로 가치가 얼마나 뛸지 모르는 로또같은 책을 무료로 주는 것도 모자라 가격을 10% 할인해줍니다. 가격 할인은 향후에 골즈보로 북스에서 구매할 모든 책에도 해당됩니다.

금전적인 혜택뿐만 아니라 구매의 우선권도 제공합니다. 골즈보로 북스에서는 종종 특별 한정판 등을 판매하는데, 이를 홈페이지에 공개하기 전에 멤버십 회원들이 미리 살 수 있도록 그들에게만 먼저 알려줍니다. 이달의 책을 구매하려고 했던 고객들은 가입하지 않을 이유가 없는, 구매를 망설였던 고객들이라면 지갑을 열 가능성이 높아지는, 이달의 책을 몰랐던 고객들의 경우에는 이달의 책에 관심을 가질 법한 혜택입니다.

골즈보로 북스가 출판사로부터 정가의 50%에 책을 받아온다고 가정해도 고객들이 책 한 권을 살 때 두 권을 주고 추가로 10% 할인을 해주면 손해보는 장사입니다. 골즈보로 북스가 독서 문화 진흥을 위한 자선 단체도 아닌데 이렇게까지 하는 이유는 무엇일까요? 독점 에디션이 주를 이루는 이달의 책에 대한 관심이 높아지고 구매로 이어질수록, 골즈보로 북스의 인기와 독점 에디션이 만들어낸 선순환 구조를 더 크고 견고하게 만들 수 있기 때문입니다.

2014년에 독점 에디션이 눈에 띄게 늘어날 때 독점 에디션이면서 이달의 책으로 선정된 책의 한정판 권수는 350권 정도였습니다. 반면 2017년에 이달의 책으로 추천하는 독점 에디션의 한정판 권수는 750권 내외로, 많게는 1,000권까지 늘어났습니다. 골즈보로 북스에서만 독점적으로 판매하더라도 750권 정도는 팔 수 있을만큼 고객 기반이 넓어졌다는 뜻입니다. 또한 수요층이 두터워지니 다음 달에 신간으로 나오면서 이달의 책으로 선정될 독점 에디션의 경우 출판사와 출간 시기를 조정하는 것도 가능해졌습니다. 예를 들어 포일스 등의 일반 서점에서의 신간 출시일이 익월 중순 경이면, 다음 달에 이달의 책으로 선정될 동일한 책의 골즈보로 북스 독점 에디션은 익월 1일에 출시해 이달의 책 독자들이 남들보다 먼저 신간을 볼 수 있도록 했습니다.

독점 에디션의 판매 부수가 늘어날수록 출판사와 제휴하기가 수월해지고, 독점 에디션이 많아질수록 골즈보로 북스는 차별적 경쟁력을 갖습니다. '이달의 책 클럽 멤버십'은 이번 달의 '이달의 책'의 판매를 늘릴 뿐만 아니라 다음 달의 '이달의 책' 고객 기반을 튼튼하게 하는 자양분 역할을 합니다. 그래서 골즈보로 북스는 고객 친화적 혜택을 통해 이달의 책 클럽 멤버십을 키워 갑니다.

시간과 함께 자라나는 책방

골즈보로 북스는 30평 정도의 작은 책방이지만, 2017년 기준, 9

월까지의 매출이 100만 파운드(약 15억 원)에 이를 정도로 실속 있습니다. 2017년 한해로 추산했을 때 약 130만 파운드(약 20억 원) 규모로, 2010년에 달성한 60만 파운드(약 9억 원) 대비 2배 이상 성장한 수치입니다. 서점 운영이 갈수록 어려워지는 상황을 감안하면 더 주목할만한 성과입니다.

이 작지만 튼튼한 책방의 책장을 둘러보다 보면 특이한 점을 발견할 수 있습니다. 매장에 진열한 책에 하나같이 투명한 비닐 커버를 씌워 놓았습니다. 서점의 브랜딩을 담으려는 목적은 아닌 것으로 보입니다. 그렇다고 하기엔 커버에서 브랜딩의 흔적을 찾을 수가 없습니다. 또한 책을 판매할 때 정성을 더하고자 했다고 보기도 어렵습니다. 판매 시점에 커버를 씌워주는 것이 아니라 이미 모든 책을 비닐 커버로 포장해두었습니다.

보통의 경우와 달리 골즈보로 북스에서는 책의 상태를 최상으로 유지하기 위해 비닐 커버로 책을 싸서 보호합니다. 심지어 책장에 진열하지 않고 재고로 가지고 있는 2만 5,000권의 모든 책을 비닐 커버로 씌워놓았을 정도입니다. 이렇게까지 하는 이유가 있을까요? 책의 비닐 커버 위에 붙어 있는 스티커에 적힌 가격을 보면 책을 비닐 커버로 보호하는 목적을 짐작할 수 있습니다.

독점 에디션으로 판매하는 이달의 책을 비롯해 1~2년 내 발간된 신간들의 가격은 일반 서점에서 파는 동일한 책의 금액과 차이가 나지만, 그 차이가 크진 않습니다. 가격이 2배 뛰었다 하더라도 15~25파운드(약 2만 3,000~3만 8,000원) 수준입니다. 하지

1

골즈보로 북스의 책장에는 100파운드(약 15만 원) 대의 가격표가 붙은 책들이 수두룩합니다. 책을 보호하기 위해 비닐로 싸서 보관할 뿐만 아니라 가격대가 높은 책들은 책장 안에 보관합니다.

2

아가사 크리스티의 《They Do It with Mirrors》는 저자의 타계로 서명 없는 초판을 판매합니다.

3

아다 팔머의 책처럼 시리즈물의 경우, 시리즈별로 동일한 번째의 책끼리 함께 진열합니다. 예를 들어 시리즈의 1편이 500권의 한정판 중 123번째 서명본이었다면 2편, 3편도 123번째 서명본을 판매하는 식입니다.

4

이언 플레밍의 《Moonraker》는 6,500파운드(약 975만 원)의 가격이 붙어있습니다. 이처럼 1,000파운드(약 150만 원)대의 책들도 심심치 않게 발견할 수 있습니다.

만 시간이 더 흐른 책들은 가격의 차이가 급격히 커집니다. 그래서 골즈보로 북스의 책장에는 100파운드(약 15만 원)대의 가격이 붙은 책들이 수두룩하고, 수백 파운드의 책들도 곳곳에서 찾을 수 있으며, 1,000파운드(약 150만 원)대의 책들도 심심치 않게 보입니다. 참고로 이언 플레밍Ian Fleming의 《Moonraker》의 경우 6,500파운드(약 975만 원)의 가격이 붙어있습니다. 팔리지 않은 책들이 애물단지가 아니라 보물단지이니 책을 비닐 커버로 싸서 고이 모셔두는 것입니다.

책이 팔리면 매출이 발생해 현재의 가치가 커지고, 안 팔리면 무형자산 성격의 유형자산으로 잡혀 미래의 가치가 높아집니다. 차별적 컨셉을 가지고 비즈니스 모델을 견고하게 설계한 덕에 골즈보로 북스는 시간과 함께 자라납니다.

비타 모조

90억 가지의 조합이 가능한 샐러드 가게
누구나 자기만의 음식을 먹을 권리가 있다

어울리진 않지만 패스트푸드 매장에도 샐러드 메뉴가 있습니다. 건강에 신경을 쓰는 고객들을 불러들여 매출을 높이려는 목적입니다. 효과가 있을까요? 듀크 대학교Duke University 마케팅 교수인 가반 피츠사이먼즈Gavan Fitzsimons 교수가 이끄는 연구팀이 이를 실험해봤습니다. 음식 선택에 대한 자기 통제력이 강한 사람들을 선별해서, 그들이 메뉴 구성에 따라 감자튀김을 선택할 가능성이 어떻게 달라지는지를 연구한 것입니다.

피실험자들을 두 그룹으로 나눴습니다. 한 그룹에게는 감자튀김, 치킨너겟, 버터와 크림을 바른 구운 감자 등 건강하지 않은 음식으로만 구성된 3가지 메뉴를 제시했습니다. 이 그룹의 사람들은 감자튀김을 주문하지 않았습니다. 메뉴 중에서 감자튀김이 건강에 가장 나쁜 음식이라 생각했기 때문입니다. 하지만 3가지 구성에 샐러드 메뉴를 더해 다른 그룹에게 보여주니 상황이 달라졌습니다. 일부 사람들은 샐러드를 골랐지만, 나머지 사람들 중에 감자튀김을 선택하는 경향이 전반적으로 높아졌습니다.

더 건강한 음식이 추가되었는데, 오히려 사람들이 건강에 가장 나쁘다고 생각하는 음식을 선택하는 역설적인 현상이 벌어졌습니다. 이러한 역효과를 검증하기 위해 추가적인 실험을 진행했습니다. 햄버거, 오레오 등으로 음식의 종류를 달리해도, 동일한 사람을 대상으로 샐러드 메뉴가 있을 때와 없을 때의 선택을 비교해도 결과는 마찬가지였습니다. 그래서 연구팀은 결론을 내리고 '대리 목표 성취Vicarious goal fulfillment'라고 이름을 붙였습니다. 더 건강한 메뉴를 추가하면, 대부분의 사람들은 더 건강한 메뉴를 보거나 고려하는 것만으로도 건강해지는 목표를 달성했다고 생각하기 때문에 건강에 나쁘지만 맛있는 메뉴의 유혹에 넘어간다는 이론입니다.

듀크 대학교 연구팀의 연구 결과는 패스트푸드 매장에게는 환영할 만한 일입니다. 하지만 건강에 민감한 사람들에게는 주의해야 할 일입니다. 가깝다는 이유로 패스트푸드 매장에 샐러드를 사러 갔다간 의도와 다르게 건강에 더 나쁜 선택을 할 수 있습니다. 그래서 건강을 추구하는 사람들에겐 샐러드만 파는 전문점이 필요합니다. 건강에 대한 관심도가 높은 런던에 샐러드 가게가 없을 리 만무합니다.

런던 곳곳에서 샐러드 가게를 발견할 수 있으나 녹색과 풀색이 비슷하듯 거기서 거기인 것처럼 보입니다. 농장 직송, 오가닉 재배 방식 등을 차별점으로 강조하지만 이마저도 대부분의 매장에서 내세우고 있어 신선한 포인트는 아닙니다. 이처럼 눈에 띄는 색깔을 갖기 어려울 것 같은 샐러드 전문점 시장에서 싱그러운 존재감을 뿜어내며 등장한 매장이 있습니다. '맞춤화의 끝판왕Ultra personalised'을 자랑하는 '비타 모조Vita mojo'입니다.

정해진 메뉴판이 없는 샐러드 가게

비타 모조에 들어서면 매장을 잘못 찾아온 듯한 착각이 듭니다. 샐러드 가게에서 신선함을 강조하기 위해 으레 전면에 내세우는 샐러드 쇼케이스도 보이지 않고, 메뉴판이 자리해야 할 계산대 위에는 판매하는 샐러드 이름 대신 주문한 고객 이름을 호출하는 모니터가 있습니다. 또한 고객 좌석이 있어야 할 한쪽 벽면에 여러 대의 아이패드들이 나란히 진열되어 있습니다. 샐러드 가게라는 것이 무색할 정도이지만, 비타 모조의 눈에 보이는 차이가 눈에 보이지 않는 차별적 경쟁력의 출발점입니다.

비타 모조에서는 사람이 주문 받는 경우가 없습니다. 외부에서 모바일 어플리케이션으로 주문을 하고 매장을 방문해 가져가거나, 현장에서 주문하려면 한쪽 벽면에 있는 아이패드를 이용해야 합니다. 인건비를 줄이려는 이유도 있겠지만, 그보다는 맞춤화를 구현하기 위한 목적이 더 큽니다. 고객들은 비대면 주문 시스템을 통해 메뉴를 자유자재로 고를 수 있습니다. 주어진 메뉴에서 선택을 하는 수준이 아니라, 주어진 재료들로 각자의 선호에 따라 마음껏 메뉴를 구성합니다. 고객 모두의 메뉴판이 다른 셈입니다.

1
비타모조의 카운터에는 메뉴판도, 음식 사진도 없습니다. 샐러드를 주문하는 곳이 아닌 주문한 샐러드를 찾는 곳이기 때문입니다.

2
매장에서는 아이패드를 이용해 주문합니다. 인건비 절감의 목적도 있지만, 그보다는 맞춤형 샐러드를 제공하기 위한 목적이 더 큽니다.

비타 모조는 이러한 컨셉을 바탕으로 매장 오픈 후 사업 확장을 위해 크라우드 펀딩을 시작했습니다. 목표 금액은 150만 파운드(약 22억 5,000만 원)였지만 사실상 50만 파운드(약 7억 5,000만 원)를 모금하는 펀딩이었습니다. 펀딩 시작 전에 이미 영국의 대표적 케이터링 서비스 업체 엘리어Elior로부터 100만 파운드(약 15억 원)를 투자받기로 했기 때문입니다.

새로운 형태의 샐러드 가게에 대한 고객들의 반응은 폭발적이었습니다. 하루도 채 지나지 않아 사실상의 목표 금액인 50만 파운드를 달성했고, 최종적으로는 목표 금액의 2배가 넘는 320만 파운드(약 48억 원)로 펀딩을 마감했습니다.

이쯤되면 본격적으로 비즈니스를 확장하기도 전에 성공했다고 볼 수 있습니다. 하지만 의문이 생길지도 모릅니다. 샐러드를 맞춤형으로 제공하는 것이 이 정도로 반응을 이끌어낼 만한 일일까요? 비타 모조가 추구하는 비즈니스의 건강함을 이해하고 나면 인기에 공감할 수 있습니다.

맞춤화의 이유 #1. 궁합이 맞으면 건강이 더해진다

이미 건강한 음식인 샐러드를 더 건강하게 먹는 방법이 있습니다. 상황에 적절하게, 그리고 체질에 적합하게 먹는 것입니다. 비타 모조는 샐러드의 맞춤화를 통해 샐러드 초보들이 입맛에 맞는 야채를 골라서 샐러드를 쉽게 먹을 수 있도록 돕기도 하지만, 그보다는 샐러드 고수들이 더 건강하게 샐러드를 즐길 수 있도록 돕는 매장입니다.

 건강에 민감하다면 샐러드를 먹는 것만으로는 충분하지 않습니다. '어떤' 샐러드를 먹는지가 중요합니다. 상황에 따라 필요한 영양소가 다르기 때문입니다. 예를 들어 운동 전에 먹는 샐러드에는 에너지원의 역할을 하는 탄수화물이 필요합니다. 식단의 75~100%를 탄수화물로 구성해 운동하기 30~60분 전에 먹는 것이 바람직합니다. 반대로 운동 후에는 근손실을 막고 근육의 생성을 위해 단백질을 보충해야 합니다. 운동 후 적절한 단백질을 섭취한다면 단백질 합성량이 2.5배나 증가합니다. 이러한 영양학적 근거를 바탕으로 비타 모조에서는 각자의 상황에 맞게 맞춤형 샐러드를 만들 수 있습니다. 스마트폰이나 아이패드로 주문을 할 때, 재료의 종류와 양을 선택하면서 영양소의 비중을 조절할 수 있어 먹는 맥락에 따라 샐러드를 만드는 것이 가능합니다.

 또한 각자가 가진 체질에 따라서 건강에 효과가 있는 음식들이 다릅니다. 모두를 위한 샐러드보다 각자를 위한 샐러드가 필요한 이유입니다. 하지만 고객들이 자신이 어떤 체질인지 이해하고 있는 경우는 드뭅니다. 그래서 비타 모조는 고객들이 각자의 체질에 맞는 샐러드를 만들어 먹을 수 있도록 유전자 분석 회사인 DNA핏^{DNAfit}과 제휴를 했습니다. 고객들은 249파운드(약 37만 원)의 유전자 분석 서비스를 25% 할인된 가격에 이용 가능하며, 포화지방에 대한 반응, 탄수화물 민감도 등의 분석 결과를 비타 모조의 소프트웨어와 연계해 입맛과 목표에 따라 적절한 샐러드를 추천받을 수 있습니다.

　　각자에 맞게 샐러드를 먹어야 하는 과학적 근거가 있더라도 샐러드를 맞춤형으로 만들어 먹는 것은 낯선 과정입니다. 지나치게 많은 선택권이 주어지면 선택하기가 더 어려워지는 역설을 비타 모조가 모를 리 없습니다. 그래서 비타 모조는 영양의 균형과 적절한 양을 제안하는 기본 세트를 제공하며, 먹는 시점에 따라 필요한 영양소와 양이 다른 점을 고려해 기본 세트를 아침 메뉴Breakfast와 종일메뉴All-day로 구분했습니다. 고객들은 기본세트만 주문할 수도 있고, 여기에 선호에 따라 다른 재료를 추가하거나 양을 조절할 수 있습니다. 고객들의 맞춤화 과정이 한결 수월해집니다. 반면 선택에 자신이 있는 사람들은 알아서 샐러드를 만드는 메뉴Bulid your meal를 통해 재료와 양뿐만 아니라 글루텐 프리Gluten free 등의 취향까지도 반영하여 100% 맞춤형 샐러드를 구성할 수 있습니다.

　　고객들의 메뉴판이 모두 다르기 때문에 기본세트를 제외하면 샐러드 한 그릇에 정해진 가격도, 칼로리도, 영양 정보도 없습니다. 스마트폰이나 아이패드를 통해 각자가 선호하는 재료들을 원하는 양만큼 담으면, 주문 내용을 바탕으로 가격, 칼로리, 영양 구성, 알레르기 정보 등의 현황을 보여줍니다. 고객들은 시뮬레이션 결과를 바탕으로 각자의 지갑 사정과 건강 상황에 맞게 주문을 재조정하면서 최적의 샐러드를 만들어 먹습니다. 개인화 샐러드에 관한 영양학적 근거에 관심이 없더라도 주문 과정에서 재미가 얹어지기에 샐러드가 더 맛있어집니다.

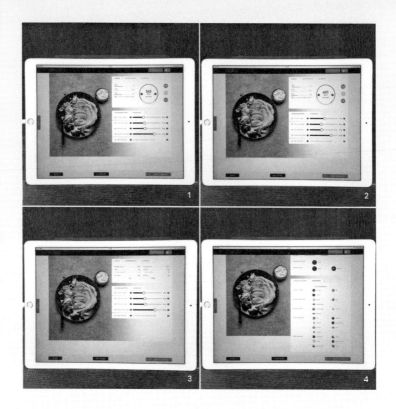

1·2
메뉴 구성 요소의 양을 늘리거나 줄이면, 그에 따른 칼로리와 영양 성분별 비중을 직관적으로 보여줍니다. 이 과정을 통해 각자의 취향과 선호에 맞게 샐러드를 만들 수 있습니다.

3·4
선택을 완료하고 나면 재료의 함량, 영양 성분 분석, 알레르기 정보 등을 일목요연하게 정리해서 알려줍니다. 이 내용을 바탕으로 고객들은 무엇을, 얼마나 먹는지를 알 수 있습니다.

맞춤화의 이유 #2. 군더더기가 없으면 매장이 살찐다

다양한 선택권은 고객들에겐 반길 만한 권리이지만, 가게 입장에서는 부담스러운 의무일 수 있습니다. 메뉴 하나가 추가되면 식재료 구매, 조리, 재고 관리 등 운영 프로세스 전반의 난이도가 높아지기 때문입니다. 가게 주도로 메뉴를 개발해 내놓는 것도 마음먹고 해야 하는데, 비타 모조처럼 유통 기간이 짧은 샐러드를 판매하면서 고객이 마음대로 메뉴를 만들어 주문할 수 있게 운영하면 복잡성을 감당할 수 있을까요?

문제 해결의 열쇠는 샐러드의 속성과 주문 방식에 있습니다. 샐러드는 조리가 필요없는 음식입니다. 주문 받은 재료들을 그냥 그릇에 담아내면 됩니다. 그래서 재료의 재고만 적절하다면, 고객들이 주문하는 메뉴가 천차만별이어도 요리에 들어가는 시간과 노력의 증가분은 제한적입니다. 또한 고객들이 스마트폰이나 아이패드로 주문을 하면 데이터가 쌓입니다. 비타 모조는 자체 개발 소프트웨어를 통해 주문 내역, 방문 주기 등의 고객 정보를 시간대별, 요일별, 월별, 날씨별, 온도별 등 다양한 외부 변수와 함께 고려하여 분석합니다. 그리고 분석 결과를 토대로 재고가 남지 않을 최적의 양을 식재료로 구매해 재고를 관리합니다. 이렇게 버려지는 재료의 양을 25%가량 줄였으니 '앞을 내다보는 장사'를 하는 셈입니다.

재료비뿐만 아닙니다. 자체 개발 소프트웨어는 인건비와 임대료에도 영향을 미칩니다. 고객들이 스마트폰과 아이패드로 주문을 하면, 주문받을 사람이 필요 없기 때문에 인건비를 낮출 수 있다는 것은 예상 가능합니다. 하지만 주문 방식과 임대료 사이의 상관관계는 한눈에 들어오지 않습니다. 이를 이해하기 위해서는 매장을 회전율 관점에서 살펴봐야 합니다.

대체로 직장인들의 식사 시간은 정해져 있습니다. 식당 입장에서 보면 병목 현상을 해결해 단위 시간 동안 드나드는 고객 수를 늘려야 합니다. 테이블에서 주문하는 레스토랑과 달리 패스트푸드 매장 같이 카운터에서 주문하는 경우에는 주문 단계에서 병목 현상이 발생합니다. 사람이 몰리면 카운터 앞에 긴 줄이 생기는데, 고객 행동 패턴을 고려했을 때 줄을 줄이기는 쉽지 않습니다. 고객들은 메뉴를 미리 정하지 않고 자기 차례가 되어서야 고민하거나, 현금 혹은 신용카드를 찾느라 허둥거리거나, 주문을 하는 동안 마음이 바뀌어 주문을 바꾸는 등의 행동을 보이기 때문입니다. 게다가 주문 후에 음식을 받기 위해 카운터 근처에서 기다리는 고객들의 동선까지 감안하면 피크 타임을 위해 카운터 앞의 공간을 넓게 확보해야 합니다.

비타 모조의 주문 방식은 이런 병목 현상을 해결해줍니다. 샐러드를 주문하려면 각자의 스마트폰이나, 매장 내에 비치된 아이패드를 이용해야 합니다. 스타벅스의 사이렌 오더Siren order와 크게 다르지 않지만, 매장에서 직원들에게 주문하는 방식을 아예 없애 큰 차이를 만들었습니다. 어차피 기계로만 주문이 가능하기 때문에 고객들은 자연스럽게 스마트폰으로 주문을 하고, 기왕 주문하는 거 외부에서 주문을 하고 매장으로 옵니다.

고객은 줄 서는 시간과 음식이 준비될 때까지 기다리는 시간을 절약하고, 매장은 고객이 줄 서고 기다리는 공간을 줄일 수 있습니다. 특히 런던처럼 테이크아웃 문화가 보편화되어 있는 곳에서는 주문 과정을 원격화하면 매장 공간이 더 넓어지는 효과가 생깁니다.

맞춤화의 이유 #3. 적을 친구로 만들면 미래가 달라진다

비타 모조는 고객 맞춤화와 운영 효율화라는 두 마리 토끼를 다 잡으며, 그 어렵다는 일을 해냈습니다. 하지만 이것만으로 비타 모조의 높은 기업 가치를 설명하기는 어렵습니다. 비타 모조는 오픈한 매장이 2개뿐 일 때도 약 1,980만 파운드(약 297억 원)의 기업 가치를 인정받았으며, 증권형 크라우드 펀딩으로 320만 파운드(약 48억 원)을 모금한 후에는 기업 가치가 17%가량 올라 약 2,310만 파운드(약 346억 5,000만 원)로 높아졌습니다. 현재의 성과보다는 미래의 성장 잠재력이 반영된 숫자입니다. 그렇다면 비타 모조가 그리는 미래가 무엇이길래 이토록 촉망받는 것일까요?

비타 모조는 레스토랑 제국이 아니라 푸드테크 회사를 꿈꿉니다. 건강식의 시장 성장성 보다는 수백 년 동안 바뀌지 않은 요식업계에 대한 문제의식을 바탕으로 샐러드 가게를 시작했기 때문입니다. '개인화된 음식이 당연해지는 세상'을 만들고 싶어서 비타 모조가 선택한 성장의 방향은 소프트웨어를 파는 것입

1
비타 모조에서는 이론적으로 90억 가지의 샐러드 조합이 가능합니다.

2
사람마다 건강 상태와 취향 등이 다르기에 비타 모조는 '개인화된 음식이 당연해지는 세상'을 꿈꿉니다.

3
먹을 만큼만 계산하고 음식물 쓰레기를 줄이기 위해서도 맞춤형 샐러드가 필요합니다.

4
비타 모조는 매장 오픈 후 사업을 확장하기 위해 크라우드 펀딩을 받았고, '식사의 미래'라는 평가를 받으며 성공적으로 펀딩을 마감합니다.

니다. 프랜차이즈 모델을 통해 레스토랑 숫자를 늘려가며 요식업계에 변화를 일으키는 방법도 있지만, 하나의 브랜드로 매장을 오픈해 나가는 건 속도나 범위 측면에서 한계가 있습니다. 그래서 빠른 성장과 폭넓은 확산을 위해 매장 수 확대보다 소프트웨어의 침투가 더 중요하다고 생각합니다.

크라우드 펀딩을 받을 때도 소프트웨어를 다른 레스토랑에 판매하는 것을 자금 조달의 첫 번째 이유로 꼽았습니다. 경쟁자들과 직접적인 경쟁을 펼치는 것이 아니라 그들과 협력하며 사세를 키워나가겠다는 뜻입니다. 비타 모조의 브랜드만으로 매장을 오픈할 때보다 확장성이 더 큽니다. 두 번째 이유는 매장추가 오픈입니다. 매장을 늘리려는 목적 역시도 소프트웨어 판매에 초점이 맞춰져 있습니다. 지금의 매장들이 쇼룸의 성격을 가지고 있듯이, 쇼룸 역할을 하는 매장을 늘려 소프트웨어를 알리려는 것입니다. 샐러드 판매를 통한 추가 매출은 덤인 셈입니다. 세 번째 이유도 특징적입니다. 매장을 프랜차이즈하는 것이 아니라 컨셉을 프랜차이즈화하겠다고 표현합니다. 비타 모조의 명성을 떨치기보다는 개인화된 음식이 당연해지는 세상에 더 가깝게 다가가겠다는 의지가 엿보입니다.

비타 모조는 크라우드 펀딩 이후 성과를 하나씩 만들어가며, 자금을 모금할 때 내걸었던 슬로건인 '식사의 미래The future of eating'를 구현해나가고 있습니다. 우선 비타 모조의 투자사이자 케이터링 업체인 엘리어가 런던 로펌들의 사내 캔틴에 비타 모조의 소프트웨어를 도입하기로 결정했습니다. 그리고 또 다른 케이터링 업체인 렉싱턴 케이터링Lexington Catering도 건강한 라이프 스타일 제안을 위해 버진Virgin에서 운영하는 헬스클럽인 버진 액티브Virgin Active와 파트너십을 체결하는데, 이 곳에서 비타 모조의 소프트웨어를 사용하기로 협약했습니다. 이러한 성과를 바탕으로 비타 모조는 영국 전역 및 미국 등의 해외로 사업을 확장해 나갈 계획입니다. 또한 2018년 1월에는 런던 도심에 100평 규모의 플래그십 스토어를 오픈해 더 많은 사람에게 개인화된 샐러드의 가치를 전파하고 있습니다.

간판보다 철학이 멀리 간다

《장사의 신》의 저자 우노 다카시가 일본 이자카야 업계의 대부로 불리는 건, 그가 일본 전역에 이자카야 제국을 만들어서가 아닙니다. 그는 장기간 근무한 직원에게 본점의 분점을 열어주고 상호를 쓸 수 있게 해주는 '노렌와케'에 대해서도 소극적입니다. 오히려 함께 일하는 직원들이 5~7년 정도 일하고 독립하도록 장려합니다. 남의 가게에서 일하고 싶어서가 아니라 자기 가게의 주인이 되고 싶어서 요식업계에 발을 들여놓은 후배들을 끌어안고 있어봐야 서로 즐겁지 않기 때문입니다. 차라리 처음부터 독립을 염두에 두고, 함께 일하는 기간 동안 서로의 성장을 도운 후 졸업시킵니다.

　　우노 다카시는 그들을 경쟁자로 여기지 않습니다. 주인 스스로가 즐길 수 있고, 고객에게 즐거움을 주는 가게를 확산시키는 것에서 행복을 찾기 때문입니다. 그가 요식업을 통해 전하고 자 하는 철학과 서비스 마인드 등을 고객들에게 널리 전파할 수 있다면, 후배들이 각자의 간판을 달고 가게를 열어도 상관 없습 니다. 이미 200명이 넘는 졸업생들이 홋카이도부터 오키나와까 지 일본 전역에서 각자의 개성을 드러내며 활약하고 있습니다. 가게 이름이 모두 다르지만 철학과 서비스 마인드 등에 공통분 모가 있기에 서로 끈끈하게 연결되어 있습니다. 간판을 공유하 는 게 아니라 가치를 공유하는 새로운 형태의 프랜차이즈인 셈 입니다.

비타 모조도 같은 생각입니다. 비타 모조에게는 간판보다 는 '개인화된 음식이 당연해지는 세상'이 더 중요합니다. 그래서 스스로를 푸드테크 회사로 정의하고 개인화된 음식을 제공할 수 있도록 돕는 소프트웨어를 확산시키는 데 역량을 쏟습니다. 비 타 모조의 간판이 빛나야 하는 건 경쟁자 대비 돋보이기 위해서 가 아니라 경쟁자를 동업자로 만들기 위함입니다. 식사의 미래 를 스스로 증명할 수 있어야 그들이 그리는 세상을 함께 구현해 나갈 아군을 더 쉽고 빠르게 찾을 수 있습니다. 비타 모조가 여 느 샐러드 가게 대비 싱그러운 건 될성부른 나무의 떡잎으로 채 웠기 때문이 아닐까요?

바디즘

몰디브에도 지점이 있는 헬스클럽

업의 정의가 비즈니스 모델을 바꾼다

폭풍같은 오전 일과를 마치고 마침내 점심시간이 되자 직장인들이 분주하게 헬스클럽으로 향합니다. 밥 먹는 시간도 쪼개 운동을 하려나 봅니다. 15분간 꼼꼼히 스트레칭한 후 본격적으로 운동 강도를 높이나 싶더니, 이내 45분간 낮잠모드로 돌입합니다. 스트레칭으로 적당히 몸을 풀고 최적의 온도와 조도, 깨끗한 침구에 스르르 잠들며 잠시 이 곳이 어디인지 잊습니다. 헬스클럽에서 집단으로 낮잠을 자는 이 진풍경은 데이비드 로이드 클럽David Lloyd Clubs의 '냅서사이즈Nap-Ercise'로 낮잠 운동 클래스입니다. 고객들은 낮잠을 자며 신진대사를 원활하게 할 수 있고, 데이비드 로이드 클럽은 유휴 시간이었던 점심 시간을 활용해 매출을 올리는 이점이 있습니다. 모두가 윈윈하는 실속있는 프로그램입니다.

　　냅서사이즈를 통해 로이드 클럽이 얻는 효과에서 볼 수 있듯이, 헬스클럽은 본인 소유이거나 임대한 부동산을 제 3자에게 빌려주고 수익을 얻는 일종의 공간 임대업입니다. 공간과 시설을 사용할 수 있는 권리를 여러 명에게 쪼개어 팔고, 유휴 시간

없이 가동률을 높이는 것이 핵심입니다. 그래서 넓고 쾌적한 공간, 접근성, 최신 시설을 저마다의 강점으로 내세우며 고객들을 불러 모읍니다.

공간과 시설이 업의 경쟁력이지만, 때로는 덫이 되기도 합니다. 어엿한 공간과 시설을 갖추고 나면, 초기 투자비와 고정비를 메꾸기 위해 대규모 회원을 채워 넣어야 합니다. 회원료가 얼마든 한 명이라도 더 받는 것이 이득입니다. 그렇다보니 판촉 행사가 없는 때를 찾기 어려울 정도입니다. 회원 유치에 열을 올리다보면 회원 관리가 더 복잡해집니다. 회원들이 특정 시간에 몰릴 경우 운동 기구가 부족해져서 고객들의 불만이 높아지고, 운동 기구를 더 채우면 공간이 협소해져서 고객들의 전반적인 만족도가 떨어집니다.

헬스클럽 비즈니스는 고객을 건강하게 만드는 업이지만, 정작 스스로는 건강하지 못한 비즈니스 모델을 가지고 있는 셈입니다. 헬스클럽을 더 건강하게 만들 수는 없을까요? 런던의 '바디즘Bodyism'처럼 헬스클럽을 공간 임대업이 아닌 '교육업'으로 바라보면 헬스클럽도 달라질 수 있습니다.

바디즘의 비전은 사람들 모두가 '클린 앤 린Clean and Lean'한, 즉 깨끗하고 날씬한 몸을 가지도록 하는 것입니다. '주의', '설' 등을 의미하는 '이즘ism'이라는 표현을 쓸 만큼, 일견 교주의 느낌까지 납니다. 라라 스톤Lara Stone, 로지 헌팅턴-휘틀리Rosie Huntington-Whiteley, 에밀리아 클락Emilia Clarke, 엘 맥퍼슨Elle Macpherson 등 탑 모델부터 데이비드 베컴David Beckham, 휴 그랜트Hugh Grant, 왕세자

비의 동생 피파 미들턴^{Pippa Middleton}까지 바디즘의 신도에는 성역이 없습니다. 헬스클럽이 교육업이 되었을 때 무엇이 달라질까요?

무엇이 필요 없는가 - 주소 없는 헬스클럽

바디즘은 런던 노팅 힐^{Notting Hill} 지역에 자리하고 있습니다. 영화 <노팅 힐>에서는 포토벨로^{Portobello} 벼룩시장 주변만 보여 줘 마치 평범하고 서민적인 동네처럼 보이지만, 사실 웨스트번 그로브^{Westbourne Grove} 일대를 포함하는 노팅 힐 동편은 손꼽히는 부촌입니다. 그뿐만 아니라 새로운 문화를 선도하기로 유명합니다. 자연히 웰빙 라이프에 관심이 높아 유기농 레스토랑이나 스타일리시한 스포츠웨어를 갖추고 거리를 뛰는 힙스터들을 어렵지 않게 마주할 수 있습니다. 바디즘의 호화로운 본거지를 보고 그저 고가의 공간 임대업을 하고 있다고 생각할 수 있습니다. 하지만, 바디즘을 시작한 후 무려 10년 만인 2016년에 비로소 이 공간을 갖추었다는 것을 알고 나면 이야기가 달라집니다.

　　보통의 경우 헬스클럽을 시작할 때 어디에 어떤 공간을 꾸릴지를 우선적으로 고민하는 것과는 다른 행보입니다. 수익을 내지 못해서 공간을 마련하지 않은 것이 아닙니다. 그들의 철학을 전파하고 사람들로부터 변화를 이끌어내는 데 굳이 자체 공간이 필요하지 않았기 때문입니다. 공간을 열기에 앞서 운동 방법과 식단 등의 정보를 알려주는 홈페이지로 사업을 시작하고,

6권의 책을 출간하며, 바디즘의 철학을 알리는 데 주력합니다. 책은 도합 100만 부가량의 판매고를 올리며 바디즘의 인지도를 높이는 역할을 합니다.

헬스클럽을 하는 데 있어 공간을 갖추는 것이 우선순위는 아니라는 뜻이지, 공간이 필요없다는 것은 아닙니다. 그래서 바디즘은 노팅 힐 플래그십을 내기 전까지는 불가리^{BVLGARI} 호텔, 레인즈버러^{Lanesborough} 호텔 등 5성급 호텔과 제휴해 그들의 럭셔리한 피트니스 공간을 활용합니다. 호텔 투숙객에 한해 일회성 혹은 멤버십 형태로 헬스 프로그램을 운영하는 것입니다. 호텔은 바디즘의 프로그램을 시그니처로 내세워, 힘주어 갖춘 호텔 시설의 활용도를 한껏 끌어올립니다. 바디즘 입장에서도 시설 부담 없이 하이엔드 고객들을 타깃하기에 좋습니다. 실제로 불가리 호텔에서 바디즘의 프로그램을 접했던 고객 중 40~50%가 바디즘의 멤버십에 별도로 가입할 의향을 밝혔습니다.

다시 노팅 힐 플래그십 스토어로 돌아오자면, 10년 만에 만든 이 공간은 넓지 않습니다. 10인 이하의 그룹 운동이 가능할 정도의 사이즈입니다. 시설도 간소합니다. 다른 헬스클럽에서는 존재의 이유나 다름 없는 그 흔한 러닝머신조차 없습니다. 대부분의 운동 기구들은 이동이 가능할 정도입니다. 공간과 시설에 대한 투자가 크지 않아 이를 충당하기 위해 대규모 회원을 모집하지 않아도 운영할 수 있습니다. 적정 규모의 회원만 모집하니, 회원이 몰릴 때를 대비해 시설을 빽빽하게 두지 않아도 됩니다.

무엇이 필요한가 - #1. 스타일을 바꾸기 위한 스타일

공간과 시설에 의존하지 않는 배짱은, 바디즘이 스스로를 '라이프 스타일 브랜드'로 정의하는 데서 근원을 찾을 수 있습니다. 누군가의 라이프 스타일을 바꾸기 위해서는 정해진 장소와 시설에 의존해서는 한계가 있습니다. 건강해지기 위해 특정 공간의 특정 시설이 꼭 필요하다면 그 변화는 지속가능하지 않기 때문입니다. 결국 라이프 스타일을 안정적으로 바꿀 수 없습니다. 그래서 바디즘은 일관성 있으면서 보다 넓은 범위를 포괄하는 바디즘만의 '스타일'을 구축해 총체적으로 접근합니다. 바디즘이 추구하는 클린 앤 린은 비단 몸뿐 아니라 라이프 스타일을 일컫습니다. 이 라이프 스타일에 대한 믿음을 심어주고, 무리 없이 사람들의 삶에 스며들도록 변화 경로를 터주는 것이 바디즘의 역할입니다.

일단 바디즘의 운동방식이 그러합니다. 요가, 필라테스, 복싱, 발레, 댄스 등 맨몸 운동 위주로 단순하지만 코어를 강화하는 운동들을 각자의 단계에 맞게 조합해 프로그램을 구성합니다. 몸에 과부하가 걸리는 강한 웨이트 트레이닝이나 보디빌딩 등은 변화의 여정에 오히려 걸림돌이 되기에 지양합니다. 몸의 잠재성을 최대한 이끌어 내자는 것이지, 한계까지 몰아붙여 뛰어넘자는 것이 아닙니다. 크고 무거운 시설을 요하는 극기훈련류 운동들이 아니기에, 이러한 시설을 수용하기 위한 넓은 공간이 필요하지 않습니다.

1

바디즘 카페테리아에서는 바디즘 특제 레시피로 만든 '맛있고 배부르지만 건강한' 식사와 음료를 판매해 회원들이 먹는 습관을 자연스럽게 개선할 수 있도록 돕습니다.

2
바디즘 설명서, 요리책, 임산부를 위한 클
린 앤 린 가이드 등으로 바디즘의 '클린 앤
린' 철학과 라이프 스타일을 체계적으로 전
합니다.

3
운동복, 운동 도구, 휴대용 쉐이크 등 바디
즘의 라이프 스타일을 보다 유기적으로 즐
길 수 있게 돕는 머천다이징 상품을 판매합
니다.

4
바디즘의 운동 공간은 규모가 크지 않고
시설도 간소하지만, 회원 한 명 한 명에 대
한 집중도를 높이고 기구에 의지하지 않
는 운동 습관을 기르는 데 제격입니다.
ⓒBodyism

또한, 라이프 스타일을 운동만으로 바꿀 수 없기에 식사도 중요한 요소입니다. 보통의 경우 식사량을 줄이고, 단 걸 먹지 않고, 칼로리를 재며 일일 권장량을 넘지 않도록 조절하는 등 '절제'에 집중합니다. 하지만 바디즘은 몸의 목소리를 최대한 듣도록 유도하는 것을 기본 원칙으로 합니다. 무엇을, 얼마나, 어떻게, 언제 먹었을 때 건강한 에너지를 느끼는지 몸의 반응을 면밀히 살핀 후 다시 무엇을, 얼마나, 어떻게, 언제 먹을지 판단합니다. 하나하나 구분하지 않고 전체적인 조화를 본다는 면에서 마치 한의학의 접근법과 유사합니다.

무엇이 필요한가 - #2. 스타일의 현신들

스타일은 관념입니다. 대부분의 종교나 신화에서 인간이든 동물이든 사물이든 신의 현신現身을 두는 이유는, 일반인들이 관념을 이해하기 적합하기 때문입니다. 브랜드가 추구하는 가치가 제 아무리 고결할지라도, 제품이나 서비스로 눈 앞에 시각화해야 효과적으로 와닿을 수 있습니다. 특히 공간과 시설이 없는 바디즘은 다른 형태의 현신을 필요로 합니다. 고객들은 그 현신을 소비하며 브랜드를 향유합니다.

그중 가장 강력한 현신은 '사람'입니다. 그 선봉에는 미스터 앤 미세스 바디즘Mr. & Ms. Bodyism으로 불리는 창업자 제임스 듀이건James Duigan과 그의 아내 크리스티안 듀이건Christiane Duigan이 있습니다. 바디즘의 라이프 스타일을 완벽히 소화한 모습을 이미지, 영상, 글, 인터뷰 등으로 적극적으로 공유하며, 셀럽이 아님에도 큰 반향을 일으키고 있습니다.

트레이너도 허투루 뽑지 않습니다. 전문성은 물론이고, 바디즘의 클린 앤 린한 라이프 스타일을 잘 실천해왔거나 앞으로 구현 가능한 사람인지 꼼꼼하게 평가합니다. 이를테면 근육에 무리를 주며 몸을 키운 보디빌더라든지, SNS에 술에 취한 사진을 올리는 지원자는 정상급 트레이너라고 할지라도 후보군에서 제외합니다. 고객과 직접 마주하는 트레이너는 그 자체가 롤 모델로서 고객에게 강력하게 동기부여를 하고 영향력을 미치기 때문입니다.

헌신의 또 다른 형태는 머천다이징 상품입니다. 바디즘 요리책의 레시피로 만든 음료와 음식을 노팅 힐 본점의 1층 카페테리아에서 판매합니다. 식이섬유 보충, 근육 생성, 지방 연소, 휴식 등 상황별로 처방하듯 먹는 인기 만점 쉐이크는 아예 휴대용 팩 형태로 출시하기도 했습니다. 요리책 속에 갇혀 있던 레시피가 생명을 얻은 셈입니다. 또한 마음가짐을 중시하는 바디즘인 만큼 스포츠웨어 역시 '난 뿌듯해I am proud', '난 편안해I am comfortable', '난 밝아I am bright' 등 기분 상태를 표현하는 문구를 새겨 판매합니다.

물론 트레이너를 바라보는 것만으로 건강해지지 않듯, 머천다이징 상품을 사용하는 것만으로 바디즘의 라이프 스타일을 온전히 이해한다고 볼 수는 없습니다. 하지만 어딘지 멀게 느껴지고 손에 잡히지 않던 바디즘의 스타일에 친숙해지기에는 더

1
휴양지의 대자연 속 고급 리조트는 몸과 마음
의 긴장을 풀게 해 변화에 대한 수용도를 높
입니다. 라이프 스타일의 자연스러운 변화를
추구하는 바디즘과 환상의 궁합을 이룹니다.
ⓒAmilla Fushi

할 나위 없습니다. 그래서 카페테리아를 멤버가 아닌 사람들에게도 오픈하고, 자체 매장 외에도 판매처를 적극적으로 확대합니다. 만약 헬스클럽의 흔한 운동용 제품으로 접근했다면, 제휴를 한다고 해도 호텔처럼 피트니스 시설을 갖춘 곳 위주로 확장이 제한되었을 것입니다. 하지만 철학과 스타일을 기반으로 머천다이징 상품을 만드니 펜윅Fenwick, 올레바 브라운Orlebar Brown 등 편집숍에 스탠딩 카페로 들어가고, 네타포르테Net-a-Porte, 셀프리지스Selfridges 등 온라인과 오프라인 럭셔리 쇼핑몰에도 입점하기에 이릅니다.

무엇이 가능한가 - 발 없는 바디즘이 천리 간다

현재 바디즘은 런던 외에도 터키, 몰디브 등에 진출한 글로벌 기업입니다. 2014년에 터키의 디 마리스 베이D Maris Bay를 시작으로, 터키의 산토리니라고 불리는 보드룸에 위치한 마카키지Macakizi 호텔, 몰디브의 아밀라 푸시Amilla Fushi 등 휴양지의 고급 리조트와 제휴해 인력을 파견하고 있습니다. 휴양지의 리조트에는 피트니스 시설 외에도 활용 가능한 자원이 하나 더 있습니다. 바로 리조트를 둘러싼 대자연입니다. 바다, 해변, 산 등 천혜의 자연 환경을 활용해 아웃도어 액티비티를 접목하거나 PT 수업을 야외에서 진행합니다. 또한 레스토랑에는 클린 앤 린 메뉴를 구성하고, 객실 내에는 바디즘 쉐이크를 비치해 고객들이 운동 외에도 바디즘의 라이프 스타일을 경험할 수 있도록 했습니다.

바디즘의 철학을 보다 입체감 있게 구현한 것입니다.

바디즘이 휴양지의 리조트를 거점으로 삼은 또 다른 이유는 사람들이 휴가를 즐길 때 변화가 쉬운 상태로 바뀌기 때문입니다. 빡빡하고 경직된 일상에서 무언가를 바꾸려면 노력이 많이 들고 금새 지치기 마련입니다. 하지만 휴양지에서는 나 스스로를 빼고 모든 것이 바뀌어 있는 상태이기 때문에 마음가짐이 유연해집니다. 국경을 넘어 철학과 라이프 스타일을 전파하길 바라는 바디즘으로서는 보다 쉽고 효과적으로 해외 고객들에게 다가갈 수 있는 방법입니다.

바디즘의 글로벌 진출은 그동안 차근차근 쌓아 올린 철학, 바디즘의 스타일을 온몸으로 구현하는 탑클래스 트레이너, 특정 장소와 시설에 국한되지 않는 가볍고 유연한 커리큘럼, 어디서나 안정적으로 제 역할을 다 하는 머천다이징 상품 등이 함께 어우러지며 이룬 쾌거입니다. 호주, 이탈리아 등에서도 시즌 한정으로 진행했고, 향후 두바이, LA 등으로 꾸준히 확장할 계획입니다. 전 세계 그 어느 곳이든 바디즘이 가지 못할 곳은 없습니다.

무엇을 꿈꾸는가 - 가격이 아니라 가치를 매긴다

앞서 가격에 대해 언급한 적 없지만, 상당히 고가의 멤버십이리라 예상할 수 있습니다. 바디즘에서 가장 비싼 플래티넘 패키지는 연간 2만 2,000파운드(약 3,300만 원)입니다. 가장 저렴한 연간 멤버십도 연간 5,000파운드(약 750만 원) 수준입니다. 반면, 월 단위의 멤버십은 110파운드(약 17만 원)로 저렴한 편입니다. 흥미로운 점은 월 단위 멤버십으로 12개월치를 끊어도 가장 저렴한 연간 멤버십인 5,000파운드에 훨씬 미치지 못하는 가격 체계입니다. 장기로 등록하면 더 저렴할 것이라는 통념을 뒤흔듭니다.

2만 2,000파운드짜리 플래티넘 패키지는 무제한의 PT와 그룹레슨, 매월 건강 상태 진단, 매월 보조식품 3회, 매 운동마다 쉐이크 등의 음료 무료 제공, 카페와 스토어 10% 할인 등을 제공합니다. 여기에서 PT는 고객과 트레이너 1 대 1을 의미하지 않습니다. 1 대 다[4] 트레이닝으로, 분야별 전문 트레이너가 한 사람을 위해 팀을 이뤄 총체적으로 케어합니다. 이런 탄탄한 혜택을 월 단위로 쪼개서 받을 수는 없도록 설계했습니다. 가격이 저렴해서가 아니라 혜택이 확실하기 때문에 장기로 등록해야 합니다.

고객이 바디즘으로부터 구매하는 것은 라이프 스타일을 바꾸는 '교육 프로그램'입니다. 공간과 시설 이용료를 내는 것이 아니기 때문에 가격 체계도 달라야 하는 것입니다. 바디즘이기에 필요하지 않은 것, 필요한 것, 가능한 것 등 기존 헬스클럽과의 차이점을 설명했지만, 사실 가장 근본적인 차이는 고객들로 하여금 이 비즈니스를 어떻게 바라보게 할 것인가입니다. 업에 대한 관점을 바꾸면 3,000만 원짜리 멤버십도, 몰디브의 헬스클럽도 꿈꿀 수 있습니다.

밥 밥 리카드

04

요일마다 가격이 달라지는 레스토랑
고객 행동을 유도하는 선택 설계의 정석

의도를 티나지 않게 전달하면 클래스가 생깁니다. 그래서 런던 올림픽 개막식은 이유있는 감동이 있었습니다. 영국을 영국답게 하는 요소들을 스케일이 넘치는 스토리로 풀어낸 것도 감탄을 자아내지만, 그 안에 사회적 약자 혹은 주목받지 못하는 조연들을 향한 배려의 메시지를 녹여내 더 큰 울림을 만들었습니다.

개막식은 영국을 대표하는 산업혁명과 대량생산 시대를 테마로 시작하는데, 이 부분에서는 공장과 노동자 등 그 당시의 풍경을 역동적으로 표현하면서도 여성 참정권을 외치던 여성들의 모습을 빼놓시 않고 연출합니다. 이후 영국 국가를 합창하는 부분에서는 영국 국민들을 대표하여 청각 장애 어린이 합창단이 노래를 부릅니다. 국가 연주가 끝나고 나서는 환자복 차림을 한 어린이들의 퍼포먼스를 영국의 문학가들이 상상해낸 판타지들과 연결해 보여줍니다. 사회적 약자를 위한 영국의 국가 보건 의료 서비스National Health Service와 어린이 자선 병원인 그레이트 올몬드 스트리트 병원Great Ormond Street Hospital을 전 세계적으로 유명한 《해리 포터Harry Potter》, 《피터 팬Peter Pan》 등의 작품으로 포장해 소개하는 것입니다. 그 다음에는 젊은 남녀의 러브 스토리에 맞춰 영국 대중문화를 메들리의 형식으로 선보이는데, 이때 영상을 통해 다양한 키스신을 보여주면서 영국에서 최초로 동성 간 키스신을 방영한 드라마의 장면도 포함시킵니다. 또한 성화 봉송 주자가 스타디움으로 들어오는 부분에서는 스타디움을 건설한 500여 명의 노동자들을 조명합니다. 안전모를 쓴 노동자들이 스타디움 입구에서 성화 봉송 주자를 맞이하는 모습이 새롭습니다.

　사회적 약자 혹은 주목받지 못하는 조연들까지도 무대 위로 소환한 연출자는 <트레인스포팅Trainspotting>, <슬럼독 밀리어네어Slumdog Millionaire> 등의 영화로 유명한 대니 보일Danny Boyle 감독입니다. 그는 모두가 하나되는 올림픽의 의미를 되새기려는 의도를 곳곳에 적절하게 배치해 개막식의 클래스를 한 단계 더 끌어올렸습니다. 의도를 세련되게 전달한 건 개막식뿐만이 아닙니다. 티켓 프로그램 총괄 담당자였던 폴 윌리엄슨Paul Williamson이 주도한 런던 올림픽의 입장권 티켓 판매도 주목할만합니다.

　런던 올림픽의 티켓 가격 체계는 티켓 가격의 숫자가 메시지를 담도록 설계했습니다. 우선 기본 티켓은 20.12파운드(약 3만 원)에, 가장 비싼 티켓은 2,012파운드(약 302만 원)에 판매했습니다. 최저가와 최고가를 100배 차이 나게 만들어 가격 차등을 확실하게 하면서도 언뜻 봐도 런던 올림픽을 상기시키는 숫자로 가격을 매겼습니다. 또한 18세 이하의 청소년들에게는 '나이만큼 내세요Pay your age'라는 아이디어를 도입했습니다. 청소년들의 나이가 티켓 가격이 되는 방식입니다. 이를 통해 티켓 가격을 최대 18파운드(약 2만 7,000원)로 설정하는 등 청소년들을 배려해 할인 혜택을 제공하면서도 모두가 공평하다고 느낄 수 있게 가격 체계를 디자인한 것입니다. 게다가 런던 올림픽에서는 보통의 경우와 달리 비인기 종목 티켓을 할인해 팔거나 인기 종목 티켓과 묶어 팔지 않았습니다. 가격 고수를 통해 모든 경기는 동등한 가치를 지닌다는 메시지를 전달하기 위함입니다.

티켓 가격에 의도를 담자 수익의 클래스가 달라졌습니다. 런던 올림픽의 티켓 판매 수익 목표는 3억 7,600만 파운드(약 5,640억 원)였는데, 고객들의 관심을 사로잡은 티켓 가격 체계 덕분에 목표보다 75%가량 높은 6억 6,000만 파운드(약 9,900억 원)의 티켓 수익을 달성했습니다.

의도를 티나지 않게 전달하며 클래스를 높인 런던 올림픽을 또 한 번 경험하려면, 2012년의 런던 올림픽이 64년만에 열렸듯이 그만큼의 시간을 더 기다려야 할지도 모릅니다. 이처럼 언제 올지 모를 기회를 무작정 기다릴 수는 없습니다. 퇴사준비생으로서 런던을 여행하는 김에 의도를 세련되게 표현하는 방법을 경험하고 싶다면 '밥 밥 리카드Bob Bob Ricard' 레스토랑에 관심을 가질 필요가 있습니다.

요일마다 메뉴의 가격이 달라진 사연

밥 밥 리카드는 러시아아인인 레오니드 슈토브Leonid Shutov가 2008

년에 런던 소호 지역에 오픈한 고급 레스토랑입니다. 두 개 층으로 구성되어 있는데, 1층의 공간은 파란색을 테마로 오리엔트 특급 열차에서 영감을 받아 이색적으로 디자인했고, 지하층의 공간은 빨간색을 테마로 고급스런 클럽 분위기가 나도록 감각적으로 인테리어를 꾸몄습니다. 주요 메뉴는 클래식한 영국 요리를 모던하게 재해석하거나 러시아 방식으로 조리한 음식으로 구성했습니다. 고급 레스토랑이라 가격대가 높은 편이어도 레스토랑의 분위기와 음식의 맛을 고려하면 가성비 또한 높은 곳입니다.

공간 구성과 메뉴 구성 모두 차별성을 확보했지만, 밥 밥 리카드를 더욱 눈에 띄게 하는 건 가격 체계입니다. 이 매장의 메뉴는 요일이나 식사 시간에 따라 가격이 달라집니다. 똑같은 메뉴를 월요일 점심에 주문하면 토요일 저녁 대비 25% 저렴하게 먹을 수 있고, 화요일 저녁에 시키면 토요일 저녁보다 15% 낮은 가격에 즐길 수 있는 식입니다. 메인 요리의 평균 가격이 25파운드(약 3만 8,000원)이고 35파운드(약 5만 3,000원) 전후의 요리도 꽤 있는 것을 감안하면 할인 폭을 체감할 수 있는 수준입니다.

가격을 할인한다고 해서 양을 줄이거나 싼 재료를 쓰는 등의 꼼수를 부리는 것이 아닙니다. 또한 한가한 시간대를 활용해서 가격을 조정하는 해피 아워 이벤트와 달리 점심 식사 또는 저녁 식사 시간대에 가격 할인을 해줍니다. 게다가 다른 메뉴와 묶어서 가격을 낮추는 세트 메뉴의 방식과도 거리가 멉니다. 그뿐 아니라 백화점이나 마트 등에서 이미 만들어놓은 음식을 마감 시간이 가까워졌을 때 할인해서 파는 방식과는 더더욱 차이가 있습니다. 요일과 식사 시간대에 따라 똑같은 음식이 가격만 달라지는 것입니다. 그 어느 곳에서도 볼 수 없던 파격적인 시도입니다. 밥 밥 리카드는 무슨 연유로 이런 가격 체계를 도입하게 되었을까요?

창업자인 레오니드 슈토브는 토요일 저녁 시간에는 식사를 하기 위해 400명이 줄을 서는데, 월요일 점심 시간에는 40명 밖에 없는 현상을 풀어야 할 문제라고 생각했습니다. 평일의 손해를 주말 장사로 메꾸는 고급 레스토랑의 운영 방식에 의문을 가진 것입니다. 아이디어를 얻기 위해 그는 레스토랑 비즈니스 외의 산업들로 눈을 돌렸습니다. 다른 산업들이 어떻게 돌아가는지를 벤치마킹하며, 시기별 수요에 따라 가격이 달라지는 항공과 호텔 등의 가격 체계에 흥미를 가졌습니다. 여행 산업에서 활용하고 있는 방식은 그가 고민하던 레스토랑 비즈니스의 문제를 해결해줄 단서로 보였습니다. 그래서 2018년 1월, 밥 밥 리카드에 요일별 수요에 따른 가격 할인 체계를 도입했습니다.

여행 산업을 벤치마킹한 가격 체계는 가격 할인 이상의 의미를 갖습니다. 레스토랑 비즈니스를 음식이 아니라 공간을 파는 비즈니스로 접근하는 것이기 때문입니다. 고급 레스토랑에서 음식의 맛은 기본이라는 전제를 깔고, 매장 수익과 고객 만족 차원에서 비즈니스 모델에 변화를 주는 시도입니다. 하지만 가격 할인 체계를 도입할 경우 또 다른 문제가 생길 수 있습니다. 할인이 각인되면 고급 레스토랑으로서의 이미지가 실추되는 부

1

1

1층의 공간은 파란색을 테마로 오리엔트 특급 열차에서 영감을 받아 이색적으로 디자인했습니다.

2

지하층의 공간은 빨간색을 테마로 고급스런 클럽 분위기가 나도록 감각적으로 인테리어를 꾸몄습니다.

3

직원을 호출할 때 누르는 버튼이 아니라 샴페인을 주문할 때만 사용하는 버튼입니다. 눈에 띄는 분홍색 버튼이 샴페인 주문을 유도합니다.

4

모든 테이블에는 샴페인을 보관할 수 있는 얼음통이 비치되어 있습니다. 이 통에 샴페인을 채워야 테이블 분위기가 완성될 것이라는 메시지를 전하는 듯합니다.

작용이 있습니다. 그래서 밥 밥 리카드는 새로운 가격 체계를 고객들에게 티나지 않게 전달합니다.

#1. 체면을 살리는 가격 체계

밥 밥 리카드에서는 수, 목, 금, 토요일 저녁 식사 메뉴를 정상 가격으로 책정하고 이를 제외한 요일과 식사 시간대를 할인의 대상으로 정했습니다. 월요일 점심과 저녁 식사, 화요일과 수요일의 점심 식사는 25% 할인을 해주는 '오프 피크Off-peak'이고, 나머지 식사 시간은 '미드 피크Mid-peak'로 지정해 가격을 15% 할인해줍니다.

상대적으로 수요가 낮은 요일과 시간대에 고객을 늘리려는 목적으로 새로운 가격 체계를 도입했다면, 오프 피크와 미드 피크 시간대에 가격 할인을 한다는 홍보를 할만도 한데 매장 밖에서는 그 어떤 안내도 찾을 수 없습니다. 매장 안으로 들어가도 상황은 마찬가지입니다. 매장 내 그 어디에서도 가격을 할인한다는 내용은 없습니다. 심지어 메뉴판에도 가격 할인 표시를 하지 않습니다. 오프 피크에는 오프 피크 가격만 적힌, 미드 피크에는 미드 피크 가격만 적힌 메뉴판을 제공합니다. 이쯤되면 레스토랑 근처를 지나가는 행인들도, 레스토랑 안에 있는 고객들도 가격 할인을 인지하지 못하는 정도입니다. 가격 할인이 고급 레스토랑 이미지를 떨어뜨릴 수 있다는 점을 고려하더라도, 이토록 티를 내지 않으면 가격 체계에 따른 추가 수요를 기대하기 어려울텐데 도대체 왜 가격 할인을 꽁꽁 숨기는 것일까요?

밥 밥 리카드의 숨은 의도를 파악하기 위해서는 고급 레스토랑을 이용하는 고객들의 상황을 이해할 필요가 있습니다. 고객들이 끼니를 때우기 위해 고급 레스토랑을 찾는 경우는 드뭅니다. 대체로 미팅이 있어서 손님을 환대해야 하거나 기념일에 데이트를 하는 등 중요한 날에 고급 레스토랑에 갑니다. 이럴 경우는 보통 각자 계산하기보다 초대하는 쪽에서 계산을 하는데, 메뉴판에 가격 할인이 버젓이 적혀 있다면 초대자가 불필요하게 머쓱해질 수 있습니다. 약속한 시간이 오프 피크였을 뿐인데 할인 받으러 왔다는 인상을 줄 수도 있고, 할인 받으러 왔다 하더라도 굳이 그걸 알릴 필요는 없으므로 가격 체계를 드러내지 않는 것입니다.

있어도 모르고 없어도 모를 가격 체계인데 밥 밥 리카드는 요일과 시간대별로 가격을 달리한 효과를 어떻게 누릴 수 있을까요? 고객들의 이용 패턴을 보면 힌트를 얻을 수 있습니다. 중요한 날에 가는 레스토랑이라면 고객들은 지나가다가 들어가기보다 사전에 예약을 하고 방문합니다. 그래서 가격 체계에 대한 내용은 홈페이지에서 설명합니다. 할인율 정도만 알려주는 게 아니라 할인된 가격을 비교할 수 있게 아예 메뉴판 자체를 홈페이지에 올려둡니다. 예약하는 사람만 가격 체계를 알 수 있는 방식입니다. 가격 체계를 보고 약속 일자를 변경하는 누군가가 있다면 밥 밥 리카드의 시도는 유효합니다. 또한 중요한 손님을 초대할 경우 새로운 곳보다 늘 찾던 곳을 가는 고객들도 꽤 있는데,

이런 단골들의 경우는 가격 체계를 한 번 이해하면 그 다음부터는 상황에 맞게 적절하게 활용할 가능성이 높습니다.

#2. 주문을 부르는 샴페인 주문 버튼

오프 피크와 미드 피크의 가격 할인이 파격적이긴 하지만, 전면적이진 않습니다. 요리 메뉴에만 적용되는 가격이기 때문입니다. 요리 메뉴 외에 와인 등의 주류는 요일과 시간대에 관계없이 가격이 동일합니다. 밥 밥 리카드의 1인당 평균 객단가가 약 100파운드(약 15만 원)이니 스타터와 메인 요리의 가격대를 고려했을 때 전체 금액 중 약 50% 정도만 할인 대상이고, 이를 바탕으로 할인율을 환산해보면 오프 피크에는 결제 금액의 12~13%, 미드 피크에는 7~8%를 할인 받는 셈입니다. 물론 요리만 먹는다면 액면 그대로의 할인을 받을 수 있습니다.

그렇다고 밥 밥 리카드가 요리 할인으로 고객들을 유인하고 주류에서 높은 이익을 챙기는 것도 아닙니다. 와인의 가격 책정 방식 또한 고객 친화적입니다. 보통의 고급 레스토랑에서는 와인 판매가의 50% 이상을 마진으로 남기는 것과 달리 밥 밥 리카드에서는 종류에 관계없이 도매가에 50파운드(약 7만 5,000원) 정도의 마진을 붙입니다. 저가의 입문용 와인의 경우는 가격대가 비슷하지만, 고급 와인이라면 가격 차이가 커집니다. 예를 들어 1985년산 '샤또 오 브리옹Château Haut Brion'을 고든 램지Gordon Ramsay의 클라리지스Claridge's에서 1,000파운드(약 150만 원)에 팔

때, 밥 밥 리카드에서는 318파운드(약 48만 원)에 제공하는 등 가격 혜택이 분명합니다.

이처럼 요리는 할인해주고 주류는 제값을 받는다면 밥 밥 리카드 입장에서는 수익을 높이기 위해서 와인 등의 주문을 늘려야 합니다. 그럼에도 불구하고 고객들에게 주문을 강요할 수는 없는 노릇입니다. 그래서 주문을 넌지시 유도하는 장치를 마련합니다. 모든 테이블에 분홍색의 '샴페인 주문 버튼Press for Champagne'을 눈에 띄게 설치한 것입니다. 이 버튼은 직원을 호출할 때 누르는 버튼이 아니라 샴페인을 주문할 때만 사용하는 버튼입니다. 주류 주문을 유도하기 위해 중간 중간 고객에게 말을 걸며 와인이나 샴페인 등을 권유하는 방식과는 다른 접근입니다. 언제든 샴페인이 필요하면 불러달라는 뜻을 식사 시간 내내 전달하며 샴페인 주문을 상기시키면서도, 고객들에게 직접적인 압박을 주지 않는 세련된 방법입니다.

또한 주문 버튼을 '주류' 또는 '와인'이 아니라 스파클링 와인의 일종인 '샴페인'으로 표기한 것도 고객들의 상황과 심리를 이해한 전략적 선택입니다. 사업적으로 축하할 일이 있거나 기념일에 데이트로 오는 고객들이 많은데, 그들에겐 축하주로 샴페인이 필요하기 때문입니다. 샴페인 주문 버튼으로 고객들의 행동을 유도한 덕분에 평균적으로 절반이 넘는 테이블에서 샴페인을 주문해서 마십니다. 레스토랑 오픈 초기부터 도입했던 샴페인 주문 버튼은 밥 밥 리카드의 시그니처로 자리잡았고, 새로운 가격 체계에서는 더 중요한 역할을 하는 버튼으로 거듭납니다.

#3. 선택을 이끄는 메뉴판

메뉴판에 가격 할인에 대한 내용은 숨겨두었지만, 추천 메뉴에 대한 표시는 확실하게 드러냅니다. 스타터, 메인 요리, 사이드 메뉴, 디저트 등 카테고리별로 추천 메뉴를 메뉴명, 메뉴 설명, 가격까지 빨간색으로 하이라이트해 눈에 띄게 만듭니다. 또한 카테고리의 테두리를 빨간색 선으로 둘러 카테고리 자체를 추천하기도 합니다. 굴요리Oysters, 선데이 로스트Sunday roast, 샴페인 등의 카테고리는 전체 메뉴를 추천할만큼 자신있다는 뜻입니다.

눈길을 사로잡는 추천 메뉴를 가만히 들여다보면 공통점이 보입니다. 카테고리별로 가장 비싼 음식을 빨간색으로 강조했습니다. 물론 가격과 추천 음식 간에는 상관관계가 있습니다. 추천할 만한 메뉴는 가장 맛있고 신경 쓴 음식이기 때문에 가격을 가장 높게 책정한 것이 이상한 일은 아닙니다. 하지만 밥 밥 리카드의 메뉴 추천은 고객들에게 자신 있으면서도 비싼 메뉴를 제안하는 기능을 할 뿐만 아니라 티나지 않게 고객의 행동을 유도하는 역할도 합니다.

가격 전략에 대한 내용을 총망라한 책인《헤르만 지몬의 프라이싱Confessions of the Pricing Man》을 보면 '누구도 사지 않는 효자 상품'에 대한 이야기가 나옵니다. 200달러(약 22만 원) 정도의 예산으로 여행 캐리어를 사러 온 고객에게 다양한 캐리어를 취급한다는 것을 알리는 척하며 900달러(약 99만 원) 짜리 캐리어를 보여주면 고객은 준거 기준이 높아지기 때문에 900달러 짜리 캐리어를 사지 않더라도 예산을 넘어선 250~300달러(약 28~33만 원)의 캐리어에 지갑을 열 가능성이 높아진다는 설명입니다. 매장에서 가장 비싼 캐리어가 구매자의 지불용의 가격 수준을 높인 셈입니다. 그래서 900달러 짜리 캐리어는 팔리지 않더라도 진열해둘 필요가 있는 효자 상품입니다.

헤르만 지몬의 설명을 적용해보면 밥 밥 리카드에서 추천하는 카테고리별 가장 비싼 메뉴도 유사한 역할을 합니다. 고객들은 레스토랑에서 추천하는 가장 비싼 메뉴를 주문하지 않더라도, 빨간색으로 강조한 메뉴와 그 가격을 봤기 때문에 지불용의 가격 수준이 자기도 모르게 높아집니다. 고급 레스토랑이라 메뉴의 전반적인 가격대가 높지만, 추천 메뉴이자 효자 메뉴 덕분에 고객들의 가격에 대한 심리적 부담이 줄어들 수 있는 것입니다. 밥 밥 리카드 입장에서는 추천 메뉴가 팔리건, 그렇지 않건 전체적인 매출을 상승시킬 수 있는 가능성이 커집니다.

또한 추천 메뉴를 보다보면 특이점도 발견할 수 있습니다. 디저트 메뉴에서 잔 단위의 스위트 와인을 판매하는데, 이 중 뱅드 콘스탄스Vin De Constance와 샤토 디켐Château d'Yquem에는 다른 추천 메뉴들과는 달리 메뉴명과 가격은 기본색인 검정색으로 두고 메뉴 설명만 빨간색으로 강조했습니다. 설명에 더 집중해달라는 뜻입니다. 게다가 이 2가지 메뉴는 '전설적인 스위트 와인'이라는 별도의 작은 메뉴판을 만들어 비치할 정도로 추천에 공을 들입니다. 런던 시내의 다른 고급 레스토랑에서는 잔 단위로 경험할 수 없는 와인이기 때문입니다. 고객들이 특별한 경험을 놓

1 · 2 · 3 · 4
크기 순으로 식사류, 주류, 특별 추천 와인 등
의 메뉴판입니다. 메뉴명, 설명, 카테고리 등
을 의도에 맞게 빨간색으로 강조하며 고객의
선택을 넌지시 돕습니다.

5

5
밥 밥 리카드 전경입니다. 런던의 번화가인
소호 지역에 위치해 있습니다.

치지 않길 바라는 마음을 메뉴판에 담은 것입니다.

티나지 않는 의도의 전제 조건

사람들의 행동을 유도하는 티나지 않는 의도를 '넛지Nudge'라고 합니다. 시카고 대학University of Chicago의 리처드 탈러Richard Thaler 교수는 공동저서인 《넛지》를 통해 '어떤 행동을 하도록 옆구리를 슬쩍 찌른다'는 뜻의 영어 단어를 행동 경제학 분야에 적용해 의미를 확장시켰습니다. 이 책으로 전 세계적인 베스트셀러 저자의 반열에 오른 그가 <뉴욕 타임즈The New York Times>에 쓴 '좋은 넛지, 나쁜 넛지The Power of Nudges, for Good and Bad' 칼럼에서 《넛지》 책에 사인을 해달라는 독자들의 요청을 받을 때마다 사인과 함께 적는 문구가 있다고 밝혔습니다.

> "좋은 목적을 위해 넛지해 주세요."
> (Nudge for good.)

저자로서의 기대라기보다 간곡한 청에 가깝다고 덧붙이며, 그는 넛지 사용에 있어 3가지 원칙을 꼭 지켜야 한다고 강조합니다. 첫째 모든 넛지는 투명하면서도 상대방을 오도해서는 안 되고, 둘째 넛지에 반응하고 싶지 않다면 쉽게 빠져나올 수 있어야 하며, 셋째 넛지를 통해 영향을 받은 사람들의 삶을 더 낫게 만들어야 한다는 것입니다. 의사결정에 영향을 미치는 맥락을 만드는 '선택 설계자Choice architect'들은 사람들의 삶에 중요한 역할을 하기 때문에 선한 의도를 가지고 넛지를 사용해야 한다는 설명입니다.

만약 그가 런던을 방문할 일이 있어서 밥 밥 리카드에 간다면, 고객의 지갑을 털기 위해서가 아니라 고객의 만족을 열기 위해 티나지 않게 의도를 전달하는 시도들을 보면서 칭찬의 의미로 주인장의 옆구리를 슬쩍 찌를지도 모릅니다.

B.Y.O.C.

주류 판매 면허가 필요 없는 술집
업의 핵심도 아웃소싱하는 기술

술집이면서도 술로 돈을 벌지 않는 바가 있습니다. 긴자를 비롯해 아카사카, 시나가와 등 도쿄 시내 주요 지역에서 영업 중인 '원가바'입니다. 원가바에서는 모든 술을 원가에 팝니다. 입문용 위스키인 글렌피딕^{Glenfiddich} 12년 산의 한 잔 가격이 1,400원으로 일반 바 판매가격인 1만 5,000원의 10%에 불과하며 다른 주류들도 보통의 술집 대비 20% 수준입니다. 저렴한 가격 뒤에는 노련한 가게 운영이 숨어 있습니다. 술에 마진을 붙이지 않는 대신 원가바에서는 입장하는 모든 손님들에게 1인당 약 2만 원의 입장료를 받습니다.

위스키를 한두 잔 홀짝 마시다 보면 훌쩍 가격이 뛰는 점을 고려한다면 애주가들에게 원가바는 매력적입니다. 원가로 술을 마실 수 있기 때문에 몇 잔만 마셔도 금방 본전을 뽑습니다. 히비키, 야마자키 등 일본의 유명 위스키들을 비롯해 싱글몰트, 블렌디드 위스키 등 품질 좋고 다양한 위스키 셀렉션들이 있을 뿐 아니라 와인, 맥주 칵테일, 심지어 안주류까지도 원가로 즐길 수 있습니다.

가게 입장에서도 남는 장사입니다. 1인당 2만 원의 고정적인 수익이 있어 객단가의 하방선이 지지되는 효과가 있습니다. 술을 많이 마시는 손님이 찾아와도 걱정이 없습니다. 손님들의 주량은 한계가 있고, 원가는 보존하는 범위에서 가격을 책정하기에 이익이 늘지는 않더라도 매출이 증가하는 효과가 있습니다. 또한 가격 체계를 통해 위스키에 대한 진입장벽을 낮추었기에 손님들의 재방문율도 높습니다.

보통의 술집과 달리 술을 원가로 팔고 입장료를 받는 방식을 택하면서 원가바는 스스로를 주류업이 아니라 공간 임대업으로 정의한 것입니다. 이처럼 같은 술집을 하더라도, 업에 대한 관점을 바꾸면 수익을 내는 비즈니스 모델이 달라집니다. 런던에도 도쿄의 원가바와 유사하면서도 한 단계 더 진화한 방법으로 고객들의 취기를 올리는 바가 있습니다. 'B.Y.O.C.^{Bring Your Own Cocktail}' 바입니다.

고객의 술로 장사하는 술집

B.Y.O.C.에 입장을 하려면 2가지가 필요합니다. 하나는 입장료입니다. 지점에 따라 차이가 있지만 평균적으로 1인당 30파운드(약 4만 5,000원)을 내고 들어갑니다. 입장한다고 마음껏 머물 수 있는 것도 아닙니다. 입장 후 2시간의 제한시간이 주어지며 더 있고 싶다면 1시간의 추가시간마다 10파운드(약 1만 5,000원)를 지불

해야 합니다.

입장료를 낸다고 해도 나머지 조건을 충족시키지 못하면 출입할 수 없습니다. 입장을 위한 두 번째 조건인 술입니다. B.Y.O.C.에는 고객들이 자신이 마실 술을 직접 가게로 가져가야 합니다. 술을 가져오지 않으면 출입이 불가능해 방문하기 전에 집에서 미리 준비해 오거나 근처 가게에서 구입해야 합니다. 또한 한번도 뚜껑을 따지 않은 술만 반입 가능합니다. 먹다 남은 술에는 어떤 이물질이 들어 있을지 모르기 때문에 안전 사고를 방지하기 위함입니다. 첫 술만 고객이 직접 가져온 술로 마시는 것이 아니라 가게 안에서는 아예 술을 팔지 않아 중간에 술이 떨어지면 외부에서 술을 사와야 합니다.

자신이 마실 술을 직접 가져와야 하고, 그 술을 마시기 위해 입장료를 내며, 심지어 제한시간까지 있는 바에 손님들이 모이는 이유는 무엇일까요?

술을 마실수록 두꺼워지는 손님의 지갑

런던의 식료품 물가는 도시의 이미지와는 달리 상대적으로 낮은 편입니다. 전 세계 550여 개의 도시들을 비교해보면 런던의 식료품 물가는 192위로 상위 35% 수준입니다. 선진도시들이라 불리는 샌프란시스코(8위), 뉴욕(9위), 서울(15위), 도쿄(26위) 등과 비하면 차이가 현저합니다. 반면 집 안의 따뜻한 물가와 달리 문 밖을 나가서는 순간 런던의 물가는 매서워집니다. 외식비용의 경우 런던은 26위로 15위인 뉴욕과 비슷한 수준이며 302위인 도쿄, 317위인 서울보다도 월등히 높습니다. 2인 식사의 평균가격은 약 7만 5,000원에 이릅니다. 식료품 가격은 저렴할지라도 최저임금과 임대료가 높기 때문입니다. 술집이라고 상황이 크게 다르지 않습니다. 펍문화로 대표되는 런던이지만 가게에서 판매되는 생맥주 가격은 서울의 2배에 가깝습니다.

런던의 외식 물가를 고려하면 B.Y.O.C.는 경쟁력이 있습니다. 이 바에서는 입장한 손님들에게 칵테일을 무제한으로 제공하기 때문입니다. 고객들은 칵테일에서 기본이 되는 술인 기주만 가져오면 술이 다 떨어질 때까지 혹은 술이 떨어지더라도 시간이 남아있다면 술을 더 가져와 계속해서 칵테일을 즐길 수 있습니다.

손님들이 B.Y.O.C.와 일반 칵테일바에서 쓰는 돈을 비교해보면 혜택이 명확해집니다. B.Y.O.C.에서 손님들이 술을 마시면서 얻는 이익은 (마시는 칵테일의 수) x (칵테일의 한 잔당 단가) - (입장료+술 구입비용) 입니다. 입장료와 술값의 합을 넘어서는 분기점부터 추가적으로 마시는 칵테일이 손님들의 이득인 것입니다.

4명의 손님이 런던에서 쉽게 구할 수 있는 술인 진^{Gin}을 구입하여 2시간을 즐긴다고 하면 입장료가 1인당 각 30파운드(4만 5,000원), 진의 경우 1리터가 약 19파운드(약 2만 9,000원)이므로 총 139파운드(약 20만 9,000원)가 듭니다. 더 저렴한 술을 마시거나 이미 가지고 있는 술을 가져가면 술값은 더 줄어듭니다. 한편, 런던 시내의 칵테일 평균가격은 12파운드(약 1만 8,000원) 정도입니다. 4명이 3잔씩의 칵테일을 마시면 B.Y.O.C.에서 마시는 비용과 비슷해집니다. 여기서 4명 중 누군가가 1잔 이상만 더 마셔도 손님 입장에서는 남는 장사입니다. 바텐더의 설명에 의하면, 방문한 손님들이 평균적으로 인당 4~5잔의 칵테일을 마신다고 하니 4명 이상의 손님들은 대체로 이득을 얻고 가는 셈입니다. 물론 입장료와 술값을 고려하면 손님 혼자 오는 건 손해입니다. 그래서 B.Y.O.C.에는 4~6인 팀이 가장 많고, 10명 이상의 팀으로 오는 경우도 종종 있는 편입니다. 여러 손님이 함께 방문을 하기에 고객들은 1인당 술값을 낮출 수 있고, 가게 입장에서는 테이블당 단가를 높일 수 있는 효과가 있습니다.

술을 없애서 견고해지는 가게의 마진

술집에서 술을 보관하지 않으니 가게에도 이득입니다. 재고 부담이 없기 때문입니다. 보통의 경우 바를 운영할 때, 작은 규모의 바라 하더라도 15종류 이상의 술을 적게는 1병에서 많게는 3병까지도 보유하고 있습니다. 술의 종류별로 매출 비중이 고르지 않더라도 손님들이 어떤 술을 얼마나 마실지 예측하기가 어려워 여러 종류의 술을 일정량 이상 재고로 구비하고 있어야 하는 것입니다. 칵테일을 만들 때에도 기주가 되는 술이 필요해 보드카, 진, 위스키 등의 재고를 보유하고 있어야 합니다.

반면, B.Y.O.C.에서 운영하는 방식처럼 고객들에게 기주

1·2
B.Y.O.C. 시티 지점의 내부 풍경입니다.
여럿이 올수록 손님에게 이득이기 때문에
삼삼오오 함께 온 손님들로 북적거립니다.

3·4
미슐랭 셰프인 제임스 코크란의 레스토랑
과 B.Y.O.C. 시티 지점은 내부 계단으로 연
결되어 있으며, B.Y.O.C.에서 제임스 코크
란 레스토랑의 음식을 주문해 먹을 수도 있
습니다.

2

5

5

B.Y.O.C. 시티 지점은 여럿이 온 손님들이 칵
테일을 즐긴 후 함께 사진을 찍고 인화할 수 있
도록 입구에 기계를 설치해두었습니다.

선택권을 넘겨서 그들이 술을 가져오게 하면 술을 재고로 보관해야 하는 비용이 없어집니다. 특히 다양한 술을 보유하지 않아도 고객들이 알아서 각자의 선호에 따른 술을 들고 오기 때문에 바에서 기주를 준비해두는 것보다 만들 수 있는 칵테일의 종류도 늘어납니다. 또한 고객들이 각자가 마실만큼의 술을 가지고 오니 수요 예측을 잘못해서 매출의 기회를 놓칠 일도 없습니다. 술을 팔지 않고 술을 마실 수 있는 공간과 칵테일을 주조하는 서비스를 제공해 가게가 얻은 이익입니다.

술이 아니라 공간과 서비스를 파는 B.Y.O.C.의 정체성은 안주에서도 드러납니다. 보통의 바에서 안주는 술과 함께 중요한 수입원입니다. 하지만 B.Y.O.C.에서는 술뿐만 아니라 안주도 판매하지 않습니다. 핵심에 집중하겠다는 뜻입니다. 칵테일은 안주가 없어도 마실 수 있는 술이기에 가능한 일이기도 합니다.

안주를 팔지 않으면 매출이 줄어들 수 있지만, 그만큼 비용을 절감할 수 있는 효과도 있습니다. 안주를 만들기 위해서는 주방과 조리시설을 갖춰야 하는데, 이에 따른 초기 투자가 발생하고 주방 공간을 확보하려면 매달 내야 하는 임대료가 높아집니다. 여기에다가 주방에서 조리할 인력을 고용하고 안주를 만들기 위한 원재료를 준비하는 데에 비용이 또 들어갑니다. 안주 판매량이 많고 회전율이 높을 경우 비용 회수가 가능하겠지만, 그렇지 않으면 고스란히 비용을 떠안아야 합니다. B.Y.O.C.는 술을 파는 것을 없애고 공간과 서비스 판매에 초점을 맞추며 안주 메뉴를 과감하게 포기해 매달 부담해야 하는 고정비 수준을 낮쳤습니다.

그렇다고 손님들의 허기나 안주 취향을 고려하지 않은 것은 아닙니다. 자극적인 냄새가 나지 않는 음식과 간단한 스낵의 경우 반입이 가능합니다. 고객 입장에서도 간단한 안주를 바에서 비싸게 주고 먹느니, 외부에서 사오는 편이 경제적으로 이득입니다. 또한 B.Y.O.C. 시티City 지점의 경우에는 유명한 미슐랭 셰프인 제임스 코크란James Cochran이 운영하는 레스토랑과 제휴해 레스토랑에서 판매하는 음식을 주문해서 먹을 수 있습니다. B.Y.O.C. 시티 지점은 지하 1층, 제임스 코크란 레스토랑은 1층에 위치하고 내부 계단으로 연결되어 있어 역할 분담을 하면서도 운영상의 어려움도 없습니다. 고객들도 미슐랭 셰프의 음식을 안주로 즐기는 특별함을 누릴 수 있습니다. 바의 효율을 지키면서 고객들의 효용을 챙기기 위한 장치입니다.

게다가 술과 안주를 없애고 공간과 서비스를 파니 매장 구성과 운영도 가벼워집니다. B.Y.O.C.는 테이블당 6~8명 정도가 앉을 수 있는 바텐더 테이블을 여러 개 두어 매장을 구성했습니다. 지점마다 테이블 디자인과 개수가 다를 뿐 기본 포맷은 동일합니다. 바텐더들은 각 테이블의 호스트가 되어 손님들에게 서비스를 제공하고, 테이블에서 발생한 매출의 일정 부분을 가져갑니다. 그런데 바텐더 중에는 B.Y.O.C. 전속 직원들도 있지만 프리랜서 바텐더의 비중이 더 높습니다. 예약 상황에 따라 프리랜서 바텐더들을 연결해 수요에 유연하게 대응하는 것입니다. B.Y.O.C.는 바텐더 고용에 따른 고정비를 최소화할 수 있는 장점이 있고, 프리랜서 바텐더들은 영업 공간에 대한 초기 투자 없이 수입을 올릴 수 있는 이점이 있습니다. 바텐더끼리 술을 나눠 쓸 필요도 없고 안주 판매에 따른 수익 배분을 고려하지 않아도 괜찮으며 칵테일 제조에 필요한 재료는 바텐더들이 각자 챙겨오면 되니, 공간 이용과 서비스 제공에 따라 깔끔하게 정산하는 것이 가능합니다. 업사이드가 크진 않아도 하방 지지선이 견고한 비즈니스 모델입니다.

메뉴판에는 담을 수 없는 손님의 취향

고객들이 B.Y.O.C.에 가는 이유를 경제적 효용으로만 설명할 수는 없습니다. B.Y.O.C.에서는 취향이 없는 손님들이 취향을 발견할 수 있도록 돕고, 취향이 있는 손님들의 취향은 발현할 수 있도록 보조를 맞춥니다. 방법은 간단합니다. 메뉴판을 없앴습니다. 메뉴판이 없기에 고객들은 대화를 통해 자신의 선호와 취향에 따른 칵테일을 찾을 수밖에 없습니다. 처음 한잔의 칵테일이 취향에 꼭 맞지 않더라도 문제 없습니다. 2시간 동안은 칵테일을 무제한으로 주문할 수 있어 가져온 술만 남아 있으면 원하는 만큼 새로운 시도를 하며 취향을 찾아가거나 취향을 즐길 수가 있습니다. 기주의 종류가 하나뿐이어서 아쉬운 마음이 든다면, 옆 테이블의 손님들과 서로 가져온 술을 바꿔 마실 수도 있습니다. B.Y.O.C.에서는 기주를 교환하며 손님들끼리 어울리는 풍경이 낯설지 않습니다.

애주가들에게는 B.Y.O.C.의 의미가 더 큽니다. 이 곳에서는 많은 양의 칵테일을 마실 수 있을 뿐만 아니라 칵테일을 더 고급스럽게 즐길 수 있기 때문입니다. 보통의 바에서는 칵테일을 만들 때 비싼 기주를 사용하지 않는 경우가 많습니다. 칵테일의 원가에서 기주가 차지하는 비중이 커서 기주의 가격을 낮출수록 마진이 높아지기 때문입니다. 그렇지만 같은 종류의 칵테일이라도 밑바탕이 되는 술이 다르면 맛도 달라지기에 술맛에 민감한 애주가들은 고급 술로 주조한 칵테일을 마시고 싶어 하기도 합니다. 이처럼 손님이 별도로 요청하여 기주를 바꿀 경우 보통의 바에서는 그만큼의 가격을 더 받습니다. 대표적 칵테일인 진 토닉을 예로 들면, 고든스 진^{Gordon's Gin}보다 몽키 47 진^{Monkey 47 Gin}을 기주로 사용했을 때 가격이 만 원가량 높습니다. 기주에 따라서는 그 이상 차이날 때도 있습니다. 반면 B.Y.O.C.에서는 기주로 어떤 술을 사용하는지 혹은 고급 술을 기주로 하려면 얼마를 더 내야 하는지 등을 신경쓰지 않아도 됩니다. 원하는 고급 술을 기주로 들고 들어가면 그만입니다. 술을 직접 가지고 오는 방식 덕분에 B.Y.O.C.에서는 애주가들이 미묘한 취향을 포기하지 않아도 됩니다.

그뿐만 아니라 B.Y.O.C.에서는 정기적으로 '디스커버리 클럽^{Discovery club}'을 엽니다. 시중에서 쉽게 구하기 어려운 술들을 주조하는 브랜드들과 협업하여 손님들에게 칵테일을 시음하게 하는 이벤트입니다. 벌리^{Burleighs}, 십스미스^{Sipsmith}, 젠슨^{Jensen} 등 런던의 독립 진 양조장들의 시그니처 진들을 기주 삼아 실험적인 칵테일을 제공하며 각 양조장의 담당자들과 함께 브랜드에 얽혀 있는 스토리를 공유할 수 있는 시간도 갖습니다. 이러한 행사를 통해 고객들의 칵테일에 대한 지평을 넓혀주고, 그들이 취향의 범위를 확장할 수 있는 기회를 마련해주는 것입니다

허가받지 않았지만 허락된 술집

B.Y.O.C.의 시작점은 주스 가게였습니다. 창업자 댄 톰슨Dan Thompson이 코벤트 가든Covent Garden에서 주스 가게를 운영할 때, 영업이 끝난 후 친구들이 가져온 술을 가게의 남은 과일과 주스에 섞어 칵테일로 만들어 마시던 시절에 B.Y.O.C.의 아이디어가 싹텄습니다. 이제는 친구들이 아니라 손님들이 요청하는 여러 종류의 칵테일을 만들어주는 B.Y.O.C.지만, 여전히 B.Y.O.C.는 술집이라고 보기 어렵습니다. 술을 보관하고 있지 않아서, 혹은 술집이 아닌 다른 업종으로 포지셔닝하고 있어서가 아닙니다.

B.Y.O.C.는 술을 팔 수 있는 허가증, 우리나라로 치면 주류 판매 면허가 없는 곳입니다. 법적으로 B.Y.O.C.에서는 술 판매를 할 수 없어 술 자체를 가게 내에 보관하지 않고 있습니다. 런던에서 가장 높은 등급의 주류 판매 허가를 받기 위해서는 300만 원의 등록비와 연간 150만 원의 비용이 발생하는 부분도 고정비에 민감한 B.Y.O.C.가 주류 판매 허가를 받지 않은 이유일 수 있겠지만, 그러기에는 월 12만 원 정도의 비용은 감당할 만한 수준입니다. 그럼에도 불구하고 B.Y.O.C.가 주류 판매 허가를 받지

않은 건 BYO^{Bring Your Own}라는 개념을 전면에 내세워 바를 재정의하려는 목적이 더 큽니다.

바에서 핵심 역할을 하는 술을 포기함으로써 역설적이게도 어느 바보다도 다양한 칵테일을 제공할 수 있습니다. 비즈니스를 하기 위해 당연히 필요하다고 생각하는 것을 과감하게 버렸기에 가능한 결과입니다. 정부의 허가가 필요한 술집은 아니지만 고객의 마음에 허락된 낭만적 술집인 셈입니다. 저녁 무렵 손님들이 B.Y.O.C.로 들고 오는 술병의 종류가 다양해질수록 B.Y.O.C.의 새로운 가능성들도 칵테일처럼 섞여갑니다.

조셉 조셉

요리가 아닌 일상을 위한 주방용품 매장
업계의 룰을 깨는 비전문가의 힘

"승리하는 군대는 이기는 상황을 만들어 놓은 후 전쟁을 시작하고, 패배하는 군대는 먼저 전쟁을 일으키고 승리를 기대한다."

병법의 교과서이자 최고의 전략서로 손꼽히는 《손자병법》에 나오는 말입니다. 무턱대고 전쟁에 참여할 일이 아니라 이길 수 있는 판을 짜고 전쟁을 해야 승리를 거둘 수 있다는 의미입니다. 일본의 도치기 현에는 《손자병법》의 조언에 따른 듯, 기존의 시장에서 승산 없는 게임에 전력을 소비하기보다는 자신이 이길 수 있는 새로운 무대를 만들어 낸 카메라 판매점이 있습니다. 바로 '사토 카메라'입니다. 사토 카메라는 정체된 카메라 시장 속에서 대형 가전 전문점들과의 전면전으로는 살아남기 힘들다는 판단을 내립니다. 그래서 기존 시장 내에 있는 고객을 흡수하지 못할 바에야 새로운 고객을 찾기 위해 적극적으로 나서기 시작합니다.

사토 카메라는 카메라를 잘 아는 전문가가 아니라, 카메라를 잘 모르고 심지어 별로 관심이 없는 사람들을 대상으로 카메라를 판매합니다. 카메라를 잘 모르는 사람들은 카메라를 잘 아는 사람들보다 구매동기는 낮을 수 있지만, 고객으로 확보한다면 기존에 없던 새로운 고객을 창출할 수 있습니다. 기존 시장 내 고객들을 대상으로 치열한 경쟁을 하지 않아도 된다는 뜻입니다. 잠재 고객을 신규 고객으로 확보하는 사토 카메라의 비결은 접객에 있습니다. 카메라를 팔기 위한 접객이 아닌, 카메라나 사진에 대한 흥미를 이끌어 내고 재미를 붙일 수 있도록 돕는 접객에 집중합니다.

사토 카메라의 접객은 시간도 길고, 주제도 다양합니다. 고객들과의 상담은 매장 안의 편안한 소파에서 최대 5시간까지도 이어지는데, 카메라 활용법, 촬영 기술, 인근의 촬영 장소 등 카메라에 대한 모든 것을 대화로 나눕니다. 내점한 고객들이 사진의 재미에 빠질 수 있도록 최선을 다하는 것입니다. 또한 대화의 깊이를 더하기 위해서 고객들이 핸드폰으로 찍은 사진 등을 매장에서 인화해서 함께 보며, 어떤 사진을 좋아하고, 어떤 촬영을 원하는지 등을 파악합니다. 이렇게 고객에 대한 이해를 바탕으로 제품을 추천하니 구매로 전환될 확률이 높아집니다.

사토 카메라만의 독특한 접객의 결과는 놀랄 만합니다. 사토 카메라는 도치기 현 내에만 18개 점포를 유지하며 20여 년간 도치기 현 내 카메라 판매량 1위 자리를 지켜냅니다. 여기에다가 영업 이익률은 40%를 웃돌아 시간을 투자하는 접객이 쓸데없는 일이 아니었음을 증명합니다. 헤비 유저인 전문가들을 좇았다면 달성할 수 없는 성과입니다. 전문가가 아닌 초보자, 더 나아가 아직 시장으로 끌어들이지 못한 잠재 고객을 타깃하니 새로운 기회가 열린 것입니다. 런던에도 사업 분야는 다르지만 사토 카메라처럼 포화 시장 속에서 전문가가 아닌 일상의 사용자들을 타깃하여 전통의 강호들 사이에서 존재감을 만든 브랜드가 있습니다. '조셉 조셉Joseph Joseph'입니다.

조셉 조셉은 2003년에 쌍둥이 형제인 앤서니 조셉Anthony Joseph과 리차드 조셉Richard Joseph이 유리 도마를 생산하던 아버지의 사업을 이어 받아 설립한 회사입니다. 기존의 유리 도마에 쟁반과 냄비받침 겸용으로 쓸 수 있는 기능을 추가한 '워크톱 세이버Worktop Saver'가 시장의 반응을 얻으면서, 본격적으로 키친웨어Kitchenware 브랜드인 조셉 조셉을 키워가기 시작합니다.

이후 조셉 조셉은 도마를 비롯해 다양한 키친웨어에 톡톡 튀는 색깔과 장난감 같은 디자인으로 생기를 불어넣습니다. 고급 레스토랑의 요리 전문가들에겐 소꿉장난처럼 보일 수 있겠지만, 평범한 가정의 부엌에서 요리하는 사람들에겐 눈에 띄는 제품들입니다. 조셉 조셉은 영국은 물론, 유럽, 미주, 아시아 등전 세계에 팬을 보유한 브랜드로 성장했는데, 이 정도의 성장을 위트있는 디자인만으로 설명할 수는 없습니다. 사토 카메라처럼 깊이 있는 접객을 하는 것은 아니지만, 고객을 재정의하며 조셉 조셉만의 '다름'으로 주방용품계의 새로운 영역을 개척했습니다.

1

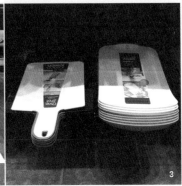

1
조셉 조셉의 시작점인 워크톱 세이버는 도
마, 쟁반, 냄비받침 등 3가지 기능으로 사용
할 수 있는 주방용품입니다.
ⓒJoseph Joseph

2
인덱스 도마(좌)는 식재료 별로 다른 도마
를 사용할 수 있게 만든 제품으로, 라이프
스타일로 요리를 즐기는 사람들의 고객 경
험을 고려한 디자인입니다.

3
찹투팟(좌)과 찹앤드레인(우)은 디자인을
활용해 기존 주방용품의 문제를 해결한 대
표적인 제품들입니다.

#1. 제품 정의를 다르게

키친웨어의 사전적 의미는 '음식을 준비, 조리, 제공하는 과정에서 사용되는 모든 도구, 기기, 용기'입니다. 그래서 키친웨어 브랜드들은 제품의 기능에 중점을 두고, 요리를 하기에 얼마나 적합한지를 놓고 경쟁합니다. 하지만 조셉 조셉은 완성도 높은 제품보다는 더 갖고 싶은 제품을 만듭니다. 그래서 때로는 기능적으로 완벽하지 않은 부분도 있습니다. 심지어 창업자인 조셉 형제도 그 한계를 인정하지만 이런 제품을 더 원하는 고객층이 있다고 확신합니다. 온전한 고민 끝에 내놓는 불완전한 제품들에 대한 조셉 조셉의 자신감에는 그럴 만한 근거가 있습니다.

조셉 조셉은 그들의 제품을 요리를 위한 도구가 아닌 일상을 위한 도구로 정의합니다. 그렇기 때문에 요리 도구로서의 기능성보다는 일상 제품으로서의 사용자 경험에 집중합니다. 인덱스Index 도마가 대표적입니다. 이 도마는 하나의 두꺼운 도마가 아니라 4개의 얇은 도마로 구성되어 있습니다. 4개의 도마에 식재료 아이콘이 그려져 있는 인덱스를 붙여 식재료별로 다른 도마를 사용할 수 있도록 유도합니다. 식재료 간 맛과 냄새가 섞이는 것을 방지하고 그날의 요리에 맞는 도마를 사용함으로써 새로운 기분을 낼 수 있게 하기 위함입니다. 설거지를 아무리 깨끗이 해도 생선류를 손질하던 도마에서 채소를 썰면 비린내가 배여 맛에 미묘한 영향을 미치는데 인덱스 도마를 사용하면 재료의 맛을 보존할 수 있습니다. 또한 날마다 먹는 음식이 다를테니 인덱스에 그려져 있는 아이콘과 도마의 색깔에 따라 육류, 생선류, 채소, 조리식품 중 용도에 맞게 사용하며 요리의 다채로움을 느낄 수 있습니다. 이처럼 요리에 직접적인 도움이 되기도 하지만 도마를 4개로 컬러풀하게 구분하여 세워둘 수 있게 디자인해서, 꿰다 놓은 보릿자루처럼 보관이 애매했던 도마의 효율적 관리가 가능해졌습니다. 일상적 공간인 주방에 포인트를 주는 역할을 하는 건 덤입니다.

키친웨어 전문 브랜드들은 셰프가 사용하는 수준의 주방을 가정하고 제품을 만듭니다. 그래서 무거운 무게, 투박한 디자인 등 사용상의 불편함을 감수하더라도 성능을 높이는데 주력합니다. 그러나 조셉 조셉은 요리를 즐기는 라이프 스타일이 심각하고 완벽한 주방이 아닌, 실수를 거듭하는 일상적인 주방에 있다고 생각합니다. 그래서 조금 더 나은 맛과 기능을 위해 사용감을 희생하기보다는 일상을 즐길 수 있도록 사용 상의 고충을 해소하고 감각적인 디자인으로 제품을 만드는 데 중점을 둡니다. 인덱스 도마도 전문가 입장에서는 보통의 도마만큼 견고하지 않아 쉽게 흠집이 나고 칼질에 탄력이 붙지 않는다고 느낄 수 있지만, 생활의 요리를 하는 일반인에게는 조리의 과정과 사용 후 보관 측면에서 장점이 더 많습니다. 일상에는 완전한 제품만큼이나 직관적으로 다룰 수 있는 제품이 필요합니다.

#2. 시장 접근을 다르게

키친웨어는 크게 3종류로 구분할 수 있습니다. 첫째는 조리에 직접적으로 사용하는 후라이팬, 냄비 등의 조리기구이고, 둘째는 그릇, 컵, 포크 등 테이블 위에 올리는 테이블웨어, 마지막으로는 조리에서 보조 역할을 하는 도마, 계량컵, 보관용기 등의 주방용품입니다. 음식의 맛과 직결되는 조리기구와 음식의 플레이팅에 영향을 미치는 테이블웨어의 경우 가격도 비싸고 역할이 중요해 고관여 제품군에 속합니다. 하지만 기본 기능으로 충분한 주방용품의 경우는 사정이 다릅니다. 브랜드에 상관없이 유통 채널이나 프로모션 등에 따라 구매를 결정하는 경우가 많습니다. 그래서 조리기구와 테이블웨어는 사람들의 머릿 속에 떠오르는 고려 브랜드군이 뚜렷하지만, 주방용품 브랜드에는 이렇다할 브랜드가 부재합니다. 전통의 강호들에 비하면 상대적으로 신생 브랜드인 조셉 조셉에게 조리기구와 테이블웨어 시장은 장벽이 높고, 주방용품 시장은 가격과 물량 경쟁이 치열해 설자리가 좁습니다. 이런 상황에서 조셉 조셉은 키친웨어 시장에 어떻게 접근했을까요?

자리가 없다면 자리를 만들면 됩니다. 조셉 조셉은 기본적인 기능만 수행하면 상관없던 주방용품 시장에 '디자인을 통한 불편 해소'라는 새로운 고려 사항을 제시했습니다. 지금까지 소비자들이 당연하다고 받아들였던 불편한 점을 부각시키고, 판단의 기준을 바꾸어 새로운 시장을 개척한 것입니다. 인덱스

1
하단의 스위치를 눌러 얼음을 쉽게 뺄 수 있는 얼음틀입니다. 얼음을 빼기 위해 얼음틀을 비틀 필요가 없습니다.

2
뒤집개의 손잡이 부분에 지지대를 더해 바닥에 닿지 않도록 만들었습니다. 뒤집개를 위생적으로 사용할 수 있습니다.

3
칼이나 포크 등 날카로운 도구를 설거지할 때 사용하는 솔입니다. 손을 베일까봐 염려하지 않아도 됩니다.

4
한 손으로 사용 가능한 액상 비누 디스펜서입니다. 디스펜서를 누를 때 다른 한 손을 자유롭게 활용할 수 있습니다.

도마뿐만 아니라 도마의 양날개를 접어 도마 위 재료들을 흘리지 않고 바로 냄비에 넣을 수 있는 찹투팟Chop 2 Pot, 도마와 체를 합쳐 한 번에 식재료를 자르고, 씻고, 말릴 수 있는 찹앤드레인Chop&Drain은 디자인으로 문제를 해결한 대표적인 상품들입니다. 소비자들이 큰 고민 없이 구매하던 제품들이었지만, 조셉 조셉이 문제를 해결하는 제품들을 내놓자 소비자들의 구매 패턴이 바뀌기 시작했습니다. 조리기구나 테이블웨어 브랜드처럼 고객들의 선호가 생긴 것입니다.

조셉 조셉의 인기가 높아지자 카피캣들이 등장했습니다. 조셉 조셉 제품들의 디자인은 콜럼버스의 달걀과 같아서, 최초에 생각해 내기는 어렵지만 모방하기는 쉬운 편입니다. 심지어 복제품을 구매한 고객이 조셉 조셉 제품으로 착각하여 조셉 조셉의 고객 센터로 수리 서비스를 요청하는 경우가 발생할 정도입니다. 상황이 이렇다보니 조셉 조셉은 매년 수백만 달러를 디자인 도용 문제를 해결하기 위해 사용합니다. 디자인 카피가 골칫거리지만, 조셉 조셉이 유의미한 시장을 개척한 브랜드이자 그 시장의 선두주자라는 방증이기도 합니다.

조리기구나 테이블웨어 브랜드들과 경쟁하며 키친웨어 시장의 중심부를 공략하기보다 주방용품에 초점을 맞추고 주변부를 개척하는 시장 접근도 남다르지만, 판매 지역을 접근하는 방식도 주목할만합니다. 자국 내에서 입지를 다지고 해외에 진출하는 방식이 보통인데 조셉 조셉은 브랜드 런칭 초기부터 적극적으로 해외 진출을 시도합니다. 특정 지역의 문화가 아닌 보편적인 직관을 반영한 디자인 덕분에 해외 시장으로의 진출이 상대적으로 용이하기도 하고, 해외에서 인정받을수록 자국 시장인 영국에서 자리잡기가 쉽기 때문입니다. 브랜드를 런칭한지 1년 8개월만에 프랑스, 독일 등으로 진출해 현재는 100여 개 국가에서 조셉 조셉을 판매합니다. 해외 시장에서 인정을 받자 국내 시장은 더 가파른 속도로 열렸습니다. 글로벌 시장으로 진출하는 기업들의 일반적인 추세와는 달리 사업 초기에는 20% 수준에 머물렀던 국내 매출 비중이 해외시장 진출 후 오히려 40%까지 높아집니다. 또한 조셉 조셉을 지나치게 혁신적이라고 평가하며 외면했던 영국의 주요 백화점 존 루이스John Lewis가 현재는 조셉 조셉의 가장 큰 유통 파트너가 된 것도 같은 맥락에서 해석할 수 있습니다.

#3. 핵심역량을 다르게

"세프들은 스타우브를 선택합니다."
(Chefs choose Staub.)

무쇠주물 냄비로 유명한 프랑스 브랜드 스타우브의 마케팅 캠페인입니다. 스타우브 제품을 사용하는 셰프와 레스토랑을 소개하고, 요리법과 함께 스타우브 제품을 홍보합니다. 스타우브는 애나멜로 처리한 냄비의 내부와 셀프 베이스팅 시스템Self basting

---

• **셀프 베이스팅 시스템**
재료에서 빠져나온 수분들이 증발하여 냄비 안쪽에 스파이크 모양을 띈 돌기의 끝에 모였다가 떨어지는 걸 반복하여 수분이 냄비 밖으로 빠져나가는 것을 방지해 주는 기술입니다.

system*을 이용해 요리의 풍미를 탁월하게 살려냅니다. 애초에 완벽한 냄비를 목표로 기술력을 연마한 덕분에 가능한 일입니다. 스타우브는 1974년에 처음으로 에나멜 냄비를 출시한 이래, 사업을 키우면서 줄곧 주물로 만든 주철 조리기구의 라인업을 늘리는 데 집중했습니다. 핵심역량인 기술력을 중심으로 사업을 확장한 것입니다. 그렇다면 조리기구가 아닌 주방용품에 주력하는 조셉 조셉은 어떤 방향으로 사업을 확장할까요?

조셉 조셉은 주방용품의 라인업을 늘리기도 하지만 사업 영역을 주방용품으로만 국한하지는 않습니다. 요리를 위한 도구가 아니라 일상을 위한 도구로 제품을 정의하고 있고, 문제를 해결하는 디자인 역량을 핵심역량으로 여기기 때문입니다. 그래서 주방용품의 영역을 넘어 보관용기, 청소도구, 화장실용품 등의 영역으로 제품 범위를 넓히기 시작합니다. 주방용품을 만드는 브랜드가 화장실용품을 내놓는 것이 낯설어 보여도 디자인으로 사용자 경험을 개선하고 일상에 위트를 더한다는 측면에서 공통분모가 있습니다.

예를 들어, 유효기간 또는 보관기간을 표시할 수 있도록 보관용기의 뚜껑에 숫자 다이얼을 붙인 '다이얼Dial', 솔을 싱크대에 걸쳐 놓고 말릴 수 있도록 손잡이에 고리를 부착한 '엣지 디쉬 브러시Edge Dish Brush', 자주 쓰는 욕실용품들을 한 데에 담을 수 있도록 다양한 높이와 크기의 통을 결합한 '이지스토어 배스룸 캐디EasyStore Bathroom Caddy' 등이 조셉 조셉의 브랜드 정체성을 해치지 않으면서도 제품 영역을 확장한 대표적 사례들입니다. 문

1·2·3
핵심역량을 문제를 해결하는 디자인으로 정
의하자, 주방용품 외에 보관용기, 청소도구,
욕실용품 등으로 사업 영역을 확장하는 것이
어색하지 않습니다. ⓒJoseph Joseph

제를 해결하는 디자인으로 핵심역량을 정의하니 영역을 넘나드는 가능성이 열린 것입니다. 또한 핵심역량을 기반으로 만든 제품임을 증명하듯 모든 제품에는 트레이드마크가 붙어있습니다.

영역 구분없이 일상을 위한 도구를 만드는 조셉 조셉은 1년에 약 50여 가지의 신제품을 출시합니다. 하나같이 새로운 디자인이라는 것을 감안하면, 10명 남짓한 내부 디자인 인력으로는 실현하기 어려운 숫자입니다. 핵심역량을 문제를 해결하는 디자인으로 정의했다면 디자이너의 수를 늘릴 법도 한데, 조셉 조셉은 내부 역량을 강화하기보다 외부 디자이너와의 협업을 택했습니다. 외부의 아이디어를 더해 문제를 해결할 수 있는 더 나은 제품을 만들기 위함입니다. 조셉 조셉의 대표 히트 상품들도 알고 보면 외부 디자이너와의 협업을 통해 탄생한 경우가 많습니다. 접이식 자전거 스트라이다Strida의 창업자 마크 샌더스Mark Sanders와 협업한 찹투팟, 다미안 에반스Damian Evans와 함께 만든 인덱스 도마, 모프Morph와의 협업으로 탄생한 네스트Nest 시리즈 등이 그 예입니다. 내부 역량만 고집했다면 세상에 나오지 못했을 제품들입니다.

한편 핵심역량이 아닌 영역은 과감히 외부에 위임합니다. 조셉 조셉은 문제를 해결하는 디자인으로 제품을 만드는 역량과 그 제품을 판매하는 역량이 다르다고 보고, 제품들을 독립매장에서 팔기보다 셀프리지스Selfridges, 존 루이스, 데번햄스Debenhams 등의 대형 백화점들과 레이크랜드Lakeland, 듀넬름Dunelm 등의 생활용품 매장들을 활용해 유통시킵니다. 그래서 런던에는 조셉 조셉의 플래그십 매장도 없습니다. 입지 선정, 고객 응대, 인테리어 투자 등에 비효율적인 시간과 노력을 쓰지 않고, 문제를 해결하는 디자인 제품 개발에 집중하겠다는 의지를 엿볼 수 있습니다.

롤(Role) 전문가는 룰(Rule) 전문가와 다르게

조셉 형제는 자신들이 요리에 대해 잘 알지 못한다고 말합니다. 주방용품을 만드는 회사의 창업자들이 요리를 모른다니 아이러니한 일입니다. 그들에게 주방용품은 요리에 대한 전문성을 담아내는 그릇이 아니라 문제를 해결하는 디자인을 선보이는 소재일 뿐입니다. 그래서 업계의 암묵적 룰을 따랐다면 사용하지 않았을 폴리 프로필렌 등의 파격적인 재질을 선택할 수 있었습니다. 여기에다가 요리를 위한 도구가 아니라 일상을 위한 도구로 접근하기 때문에 요리를 즐기는 라이프 스타일에 생기를 불어넣을 수 있는 컬러와 디자인으로 제품들을 제작합니다. 요리 업계의 룰에 고착되지 않으니 주방용품에 대한 색다른 접근이 가능해진 것입니다.

요리에 대한 전문성이 없었는데 왜 하필 주방용품 사업을 시작했을까요? 물론 아버지의 유리도마 사업을 물려 받기도 했지만, 무엇보다 주방용품 비즈니스를 바라보는 남다른 통찰력 덕분이었습니다. 인류는 1만 년 전부터 식기, 식칼 등의 키친웨어를 만들어 사용했습니다. 오랜 시간 동안 써온 제품이기 때문에 주방용품 업계는 기존의 룰에 따라 움직이며 새로움을 기대하지도, 상상하지도 않았습니다. 조셉 형제는 그렇기 때문에 오히려 더 가능성이 있다고 봤습니다. 시대가 변해 라이프 스타일이 달라졌고 그에 따라 주방의 모습도 바뀌었는데 기존의 사업자들이 주방의 변화와 전체 최적화는 고려하지 않은 채 제품을 개발하는 상황을 기회로 여긴 것입니다. 여기에 개선의 여지가 있다고 판단하고 조셉 형제는 각자의 전문성을 활용한다면 주방용품 비즈니스에서도 승산이 있을거란 확신을 굳힙니다.

조셉 형제는 요리 분야의 룰에 조예가 깊은 전문가는 아니지만, 디자인과 경영에 대한 감각이 뛰어난 전문가입니다. 형인 앤서니 조셉은 유명한 예술 대학인 센트럴 세인트 마틴스Central Saint Martins에서 디자인을 전공하고 다이슨Dyson에서 산업 디자이너로 근무했고, 동생 리차드 조셉도 케임브리지 대학University of Cambridge에서 경영과 디자인을 전공했습니다. 브랜드의 정체성을 만들고 브랜드를 키워가는 데 있어 디자인과 경영의 역할에 대한 이해가 깊은 형제입니다. 그들이 결과로 보여주었듯이 각자의 롤에 대한 전문성이 있다면, 업계의 룰을 잘 몰라도 기존의 틀을 깨는 제품들을 만들어 낼 수 있습니다.

재발견.

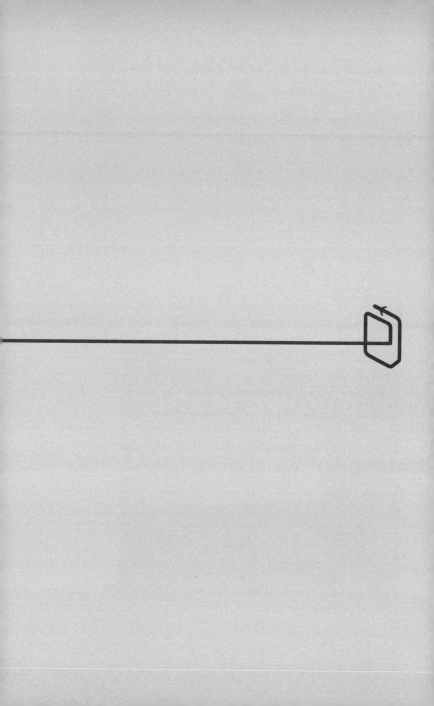

시크릿 시네마

07

3D보다 입체적인 영화관의 비밀
경계를 넘나들면 고객이 넘어온다

같은 공연장에서 연극을 관람했는데 모두가 다른 연극을 보고 나왔습니다. 수수께끼 같은 이야기지만 뉴욕에서는 현실로 경험할 수 있는 일입니다. <슬립 노 모어 Sleep No More> 공연을 보고 나온 관객들 중에 같은 연극을 본 사람은 확률적으로 0에 수렴합니다. 연극을 극장에서 해야 한다는 고정관념과 연극은 앉아서 봐야 한다는 상식을 깼기 때문입니다.

연극의 틀을 깨기 위해 <슬립 노 모어>는 공간부터 바꿨습니다. 전형적인 형태의 공연장이 아니라 호텔을 공연장으로 활용합니다. 공연이 펼쳐지는 곳은 매키트릭 호텔 McKittrick Hotel인데, 실존하는 호텔을 공연장으로 개조한 것이 아니라 여러 구조의 무대를 만들고 신비스러운 스토리를 부여하기 위해 호텔의 공간 구조를 차용하면서 가상으로 호텔이라는 이름을 붙였습니다. 연회장, 로비, 객실 등으로 구성된 1층부터 5층까지의 호텔 공간 곳곳이 무대입니다. 배우들은 정해진 무대에서 혹은 무대와 무대를 넘나들며 연기를 하고, 관객들은 무대를 옮겨 다니며 능동적으로 스토리를 엮어내거나 특정 배우를 따라다니며 연극을 관람할 수 있습니다.

또한 <슬립 노 모어>는 정해진 관람 방식을 없애기 위해 새로운 규칙을 정했습니다. 관객들은 <슬립 노 모어>에서 제공하는 가면을 쓰고 입장해야 하고 공연 내내 가면을 벗으면 안됩니다. 고정된 무대와 좌석 없이 모두가 자유롭게 이동하기 때문에 배우들의 연기 집중력뿐만 아니라 관객들의 관람 집중력도 떨어질 수 있는 문제점을 보완하는 장치이자, 고객 경험을 특별하게 만드는 도구입니다. 여기에 관객들 간에 말하지 않거나 배우를 방해하지 않아야 하는 규칙이 있는 것은 기본입니다.

그뿐 아니라 공연장 위치도 본류에서 벗어나 있습니다. 보통의 경우 뉴욕에서 연극 공연장이 모여 있는 곳은 브로드웨이Broadway나 오프브로드웨이Off-Broadway입니다. 하지만 <슬립 노 모어> 공연장은 뉴욕의 첼시Chelsea 지역에 위치해 있습니다. 이 곳에 방치된 물류 창고를 무심히 지나치지 않고, 쓸모가 없어진 공간에 새로운 역할을 부여해 지금의 모습으로 바꿨습니다. 극장들이 모여 있을 때 생기는 집객력보다 관객들을 모여들게 하는 상상력의 힘에 무게중심을 둔 것입니다.

연극계를 들썩이게 한 <슬립 노 모어>를 만든 공연 프로덕션은 펀치드렁크Punchdrunk입니다. 런던에 본사를 둔 공연 프로덕션이기도 하고, 런던은 뉴욕과 함께 연극과 뮤지컬 산업의 양대 산맥을 이루고 있기도 해서 런던에서도 <슬립 노 모어> 공연을 볼 수 있을거라 기대할 수 있습니다. 하지만 아이러니하게도 <슬립 노 모어>는 런던에서는 공연을 하고 있지 않습니다. 그렇다고 아쉬움을 달랠 방법이 없는 것은 아닙니다. 런던에는 영화같은 연극이자, 연극같은 영화를 볼 수 있는 '시크릿 시네마 Secret Cinema'가 있기 때문입니다.

숨어 있어 더 가보고 싶은 영화관

시크릿 시네마는 상영하는 장소가 비밀인 영화관입니다. 연간 작게는 2편, 많게는 5편 정도의 영화를 개봉하는데 매 영화마다 다른 곳에서 상영합니다. 또한 영화를 예매할 때 어떤 영화를 상영하는지는 알려주지만, 어디서 영화를 볼 수 있는지는 알려주지 않습니다. 예매 전에는 런던의 1, 2존 이내의 장소라는 정도의 가이드라인만 공개하고, 예매 후에는 영화관 주소가 아니라 지하철역 등의 특정 위치를 미팅 장소로 공유해줍니다. 가상의 이름을 붙인 장소를 공개하지만, 지도에서 검색이 안되는 곳이어서 예매를 하더라도 여전히 영화 보는 장소를 알 수가 없습니다.

이렇게까지 장소를 숨길 정도로 특별한 영화를 상영하는 것일까요? 그렇지도 않습니다. 최신 영화를 공식 개봉 전에 미리 공개하는 것도 아니고, 독점 판권을 가진 영화를 상영하는 것도 아닙니다. 1985년 개봉한 <백 투 더 퓨처Back to the Future>, 1977년 개봉한 <스타워즈Star Wars>, 2001년 개봉한 <물랑 루즈Moulin Rouge> 등 유명하지만 십수 년도 더 된 오래된 영화들을 주로 상영합니다.

게다가 영화 티켓 가격도 만만치 않습니다. 티켓 옵션과 요

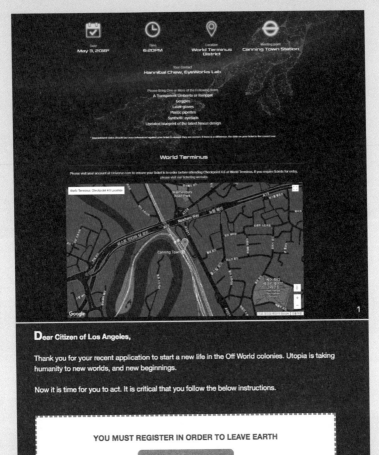

Date
May 3, 2018*

Time
6:20PM

Location
World Terminus
District

Meeting point
Canning Town Station

Your Contact
Hannibal Chew, EyeWorks Lab

Please Bring One or More of the Following Item:
A Transparent Umbrella or Rainpart
Goggles
Latex gloves
Plastic pipettes
Synthetic eyeballs
Updated blueprint of the latest Nexus design

* Appointment dates should be cross referenced against your ticket to ensure they are correct. If there is a difference, the date on your ticket is the correct one.

World Terminus

Please visit your account at Universe.com to ensure your ticket is in order before attending Checkpoint 4.6 at World Terminus. If you require tickets for entry, please visit our ticketing website.

Dear Citizen of Los Angeles,

Thank you for your recent application to start a new life in the Off World colonies. Utopia is taking humanity to new worlds, and new beginnings.

Now it is time for you to act. It is critical that you follow the below instructions.

YOU MUST REGISTER IN ORDER TO LEAVE EARTH

REGISTER HERE

YOUR ACCESS CODE IS: Infinity
YOUR APPOINTMENT DATE IS 03 May 2018

2

1
영화를 예매해도 영화관의 위치를 공개하지 않습니다. 미팅 장소가 캐닝 타운 역이라는 내용만 알려줄 뿐입니다. 영화 상영 장소인 '월드 터미너스'는 임시로 부여한 건물명으로 지도에서 검색할 수 없는 곳입니다.

2
영화를 예매하면 <블레이드 러너>의 세계로 초대하는 안내 메일이 옵니다. 로그인할 수 있는 암호를 알려주며 접속해보고 싶은 심리를 자극합니다.

일별로 가격 차이가 있는데, 가장 싼 티켓이 45파운드(약 67,500원) 정도이고 비싼 티켓은 115파운드(약 17만 2,500원)가량합니다. 런던에 있는 보통 영화관의 일반관이 15파운드(약 22,500원), 아이맥스나 4DX 등의 특수관이 25파운드(약 37,500원), 식사를 겸할 수 있는 등의 VIP관이 30파운드(약 45,000원) 수준의 가격대임을 고려하면 시크릿 시네마의 티켓 가격은 3배 이상 비싼 것입니다.

장소도 알려주지 않고, 영화도 특별하지 않으며, 영화 티켓 가격도 비싸지만 시크릿 시네마의 집객력은 막강합니다. 2014년 7월과 8월에 상영한 <백 투 더 퓨처>는 8만 명, 2015년 6월부터 8월까지 상영한 <스타워즈>는 10만 명, 2017년 2월부터 4월까지 상영한 <물랑 루즈>는 7만 명이 봤습니다. 이 정도의 집객력은 영국 영화 산업에 영향력을 미치는 규모입니다. <백 투 더 퓨처>는 시크릿 시네마에서 상영을 개시하자 4시간만에 4만 2,000장의 티켓이 팔려 신기록을 세웠고, <스타워즈>와 <물랑 루즈> 등 수십 년 된 영화가 영국 박스 오피스 10위권에 재진입해 상영 기간 동안 자리를 지켰을 정도입니다.

이쯤되면 시크릿 시네마가 관객들을 불러모으는 비밀이 궁금해집니다. 도대체 시크릿 시네마에는 어떤 매력이 있는 걸까요?

인조 인간인 리플리컨트Replicant와 리플리컨트를 제거하는 특수 경찰인 블레이드 러너Blade runner 사이의 추격전을 통해 인간의 본질에 대한 철학적 질문을 던지는, 1982년에 개봉한 <블레이드 러너Blade Runner>를 보면서 시크릿 시네마의 차별점이 무엇인지 알아보겠습니다.

1 · 2 · 3

보안 검사를 마치고 나면 9가지 캐릭터 중에 하나의 캐릭터가 부여됩니다. 관객들은 각자의 방식으로 캐릭터를 소화하기 위해 관련 제품들을 구매하는 등의 준비를 합니다.

CART (1)

SEARCH
DETECTIVE
PRIVATE INVESTIGATOR
SCAVENGER
TANNHAUSER INDUSTRIALIST
UNDERCOVER DETECTIVE
UTOPIA AMBASSADOR
UTOPIA COMPANION
UTOPIA ENTERTAINMENT
UTOPIA TECHNICIAN
ACCESSORIES

Male Mandarin Collar Black Long-Sleeved Shirt - £22.00

Owl Pin

Female Mandarin Collared Shirt, White - £25.00

Utopia Male Jacket - £48.00

Female Mandarin collar long sleeve shirt, Black - £22.00

Illuminated Umbrella - £15.00

WORLD TERMINUS

Identity Papers

Checkpoint 4.6 Access Documents

 セキュリティ

Personal Information

Name:
Kristo Turcan

Age:
[Withheld]

Industry:
Utopia Technician

Job Title:
Replicant Designer

Checkpoint Entry Time:
6:20PM

Purpose of Visit: Off-world Initiative
Professional Verification Process

Disclosure: Please be prepared to give detailed professional and personal information regarding your motivations for visiting World Terminus - Sector Four.

Security Status: Remain vigilant. Report anything unusual to Utopia. We thank you for your support during such turbulent times in the security of our city. We apologise for any social disturbances encountered in or around World Terminus due to third parties not associated nor employed by Utopia.

L.A.P.D. officers along with private Utopia Security staff are in force to minimise any anti-social behaviour and ensure your safe and efficient entry into the Downtown area.

Please Note:

This is not a ticket. Please ensure you bring a valid universe.com ticket with you to World Terminus.

High heels are prohibited.

 Checkpoint 4.6
Access Documents

#1. 예매와 영화 사이 - 준비한 만큼 설레는 영화

영화 티켓을 예매하면 이메일이 옵니다. 예매 확인증이 아니라 초대장에 가깝습니다. 영화를 예매했으니 <블레이드 러너>의 세계로 초대한다는 의미에서 외부에 공개되지 않은 웹사이트 링크와 로그인할 수 있는 암호를 알려줍니다. 링크를 클릭하면 미래 사회의 인조 인간 스토리를 다루는 <블레이드 러너>의 분위기를 반영한 웹사이트로 연결됩니다. 웹사이트 이름도 미래스러운 '라이브 유토피아Live Utopia'입니다.

온라인 사이트에서 개인 아이디를 만들고 나면 보안 검사를 해야 합니다. 예매자들을 리플리컨트와 블레이드 러너 사이에 있는 시민이라고 가정하고, 시민으로서 어떤 성향을 가졌는지를 파악하기 위해 3가지 상황에서 어떻게 행동할지를 묻습니다. '길거리에서 소녀가 조용히 흐느끼고 있으면 당신은 어떻게 할 것인가?', '길거리 노숙자가 호스텔에 묵기 위해 돈을 달라고 하는데, 이미 다른 행인이 그에게 돈을 준 걸 봤다면 당신은 어떻게 할 것인가?', '일하는 회사에서 인조 인간의 본분을 어기고 인간 세계를 넘보는 것으로 의심되는 리플리컨트를 발견했다면 당신은 어떻게 할 것인가?' 등의 객관식 질문에 답하고 나면 예매자들에게 캐릭터가 부여됩니다.

보안 검사는 재미 삼아 하는 것처럼 보이지만 그 이상의 역할을 합니다. 문답을 통해 '유토피아 앰배서더Utopia Ambassador', '유토피아 테크니션Utopia Technician' 등 9가지의 캐릭터 중에 하나

1 · 2 · 3
미팅 장소에 도착하면 <블레이드 러너> 영
화 속 등장 인물들로 코스프레한 관객들의 모
습을 곳곳에서 볼 수 있습니다. 스태프들 역
시 영화 속 등장 인물 차림으로 관객들을 안
내합니다.

로 정해지면, 예매자들은 시크릿 시네마에 가서 부여된 캐릭터로 영화를 즐기기 위해서 할로윈 파티에 갈 때 캐릭터를 정해 꾸미는 것과 마찬가지로 소품과 분장 도구를 준비합니다. 강제 사항은 아니지만 준비물 안내를 보며 시크릿 시네마를 처음 시도하는 사람들은 분위기에 뒤처지지 않으려, 시크릿 시네마를 경험한 사람들은 분위기를 알기에 캐릭터를 각자의 방식으로 소화합니다. 영화 보러 갈 준비를 하는 과정 자체가 관객들에게 재미와 설렘을 주는 또 하나의 콘텐츠인 셈입니다.

물론 시크릿 시네마가 준비물 가이드라인만 제공하고 빠질 리 없습니다. 친절하게도 라이브 유토피아 사이트에서 캐릭터별로 그에 어울리는 관련 제품들을 판매합니다. 코트, 자켓, 타이, 우산, 안경 등의 소품을 각 캐릭터별로 20여 종씩 제안하는데 유토피아 앰배서더의 경우 소품들의 가격이 2~48파운드(약 3,000~7만 2,000원) 사이이며, 평균 가격은 20파운드(약 3만 원) 정도입니다. 다른 캐릭터들도 유사한 수준입니다. 이를 통해 시크릿 시네마는 관객들이 영화관에 오기 전부터 추가 매출을 올릴 수 있습니다. 관객들이 영화를 보러온 후부터 부가 수익이 생기는 보통의 영화관들과는 출발점이 다릅니다.

#2. 입장과 영화 사이 - 참여한 만큼 즐거운 영화

영화 예매 시간에 맞춰 미팅 장소인 캐닝 타운Canning Town 역에 도착하면 흥미로운 풍경이 펼쳐집니다. 역 곳곳에 미래 시민으로

1
<블레이드 러너>에서 특수 경찰들이 리플
리컨트들을 색출하기 위해 보안 검사를 하
듯, 스태프들은 관객들을 검문한 후 입장시
킵니다.

2
영화관에 입장하기 위해서는 스마트폰을
밀봉해야합니다. 또한 사물함에 짐을 보관
할 수도 있어 관객들은 영화관에서의 경험
에 몰입할 수 있습니다.

3
[영상] 영화관에 입장하면 영화 속 장면
을 구현한 세트장이 펼쳐지고 관객들은 영
화 속 주인공이 되어 영화를 경험합니다.
ⓒSecret Cinema

4
영화가 끝나면 배우들이 관객들을 배웅합
니다. 입장할 때는 영화 속 분위기를 조성
하기 위해 의심의 눈초리로 관객들을 대
했지만, 퇴장할 때는 친절한 미소로 인사
합니다.

분장한 사람들이 동행들을 기다리고 있고, 특수 경찰 분장을 한 스태프들이 영화를 볼 수 있는 장소를 은근슬쩍 안내합니다. 굳이 스태프들에게 물어보지 않더라도 코스프레한 무리가 이동하는 방향을 따라가면, 예매할 때 알려준 가상의 장소인 '월드 터미너스World Terminus' 간판을 찾을 수 있습니다.

드디어 알게된 영화관에 들어가는 과정도 까다롭습니다. 스태프들은 관객들을 환영하기 보다 수색하는 듯합니다. 웹사이트에서 티켓을 출력하려면 얼굴이 나온 사진을 업로드해야 하는데, 신분증을 검사하는 것처럼 티켓에 나온 사진과 대조하며 본인 확인을 합니다. <블레이드 러너>에서 특수 경찰들이 리플리컨트를 색출하기 위해 보안 검사를 하는 과정을 입장 절차에 반영한 것입니다.

<블레이드 러너>에 국한된 설정이기 때문에 시크릿 시네마의 모든 영화의 입장 절차가 이와 같은 분위기는 아니지만, 영화와 관계없이 공통적으로 지켜야 하는 규칙이 있습니다. 시크릿 시네마 영화관에서는 스마트폰을 사용할 수 없습니다. 권고 사항 정도가 아니라 입장할 때 스마트폰을 밀봉하게 합니다. 대기업들이 기밀 유출 등의 이유로 방문객들의 스마트폰 사용을 제한하는 것보다 더 철저합니다. 지적 재산권을 보호하려는 목적도 있겠지만 시크릿 시네마의 컨셉을 강화하고 관객들이 영화관에서의 경험에 집중할 수 있게 만들려는 목적이 더 큽니다.

영화관에 들어서면 영화 속 장면을 구현한 거대 세트장이 펼쳐집니다. 중앙을 광장처럼 만들고 그 주변으로 노점상처럼

식당과 바 등이 두 개 층에 걸쳐 있습니다. 미래 사회의 어두운 면을 표현한 <블레이드 러너> 영화처럼 세트장도 음울한 분위기를 연출하기 위해 중앙 광장에는 계속해서 인공비를 뿌립니다. 노점상은 영화 속에 등장한 포장마차 거리를 연상하게끔 만들었습니다. 또한 한쪽의 큰 모니터에서는 리플리컨트가 침입했다는 속보 등 영화와 관련한 내용들이 중간중간 나옵니다. 마치 영화 속에 들어온 듯한 느낌을 줍니다.

영화 상영은 8시 반 정도에 시작하는데 입장 시간은 6시 반 전후입니다. 2시간가량을 이 세트장에서 보내는 것입니다. 저녁 식사 시간대여서 관객들은 핫도그, 햄버거, 국수, 만두 등을 파는 15여 개의 식당과 협찬사인 아사히 맥주의 팝업 스토어에서 식사와 음료를 즐깁니다. 영화를 보러 온 거의 모든 고객들에게 식음료를 추가적으로 판매하는 것이므로 식음료 구매 전환율이 높고, 보통의 영화관에서 팝콘과 음료로 매점 수익을 올리는 것과 비교하면 객단가에서도 차이가 납니다. 그뿐 아니라 소품과 분장 도구들을 파는 매장도 있어 사전 준비에 소홀했지만 파티를 즐기고 싶은 고객들은 현장에서 제품들을 추가로 구매할 수 있습니다.

시크릿 시네마의 세트장에 생기를 불어넣는 건 배우들과 스태프들입니다. 그들은 세트장 곳곳에서 관객들의 흥을 돋웁니다. 블레이드 러너가 리플리컨트를 쫓으며 추격전을 벌이는 등 영화 속 장면을 재현하기도 하고, 미니 콘서트를 열어 공연을 하기도 하며, 댄스 타임 등 관객들을 참여시키는 이벤트를 진행하기도 합니다. 1,000여 명의 관객들은 방관자처럼 지켜보는 것이 아니라 다같이 참여하며, 배우들과 스태프들이 만든 생기에 열기를 더합니다. 아직 영화 상영은 시작도 안했는데, 관객들은 이미 영화관에서의 시간을 만끽하고 있습니다.

#3. 연극와 영화 사이 - 몰입한 만큼 보이는 영화

> "단순히 영화를 보는 것이 아니라, 당신이 영화 안에 있는 것입니다."
>
> (Instead of watching a film, you essentially are in the film.)

시크릿 시네마의 창업자 파비엔 리갈Fabien Riggall의 설명입니다. 영화를 보기 전에 세트장에서의 경험만으로도 그의 말에 충분히 공감할 수 있지만, 그는 여기서 그치지 않고 관객들이 영화 안에 있을 수 있도록 영화 상영 방식의 틀도 깼습니다.

상영 시간이 되면 스태프들이 축제에 빠져있는 관객들을 영화를 볼 수 있는 객석으로 안내합니다. 객석은 가설물로 임시로 설치해 만들었습니다. 심지어 스크린 옆에도 가설물이 설치되어 있습니다. 영화관이 아니라 스크린이 있는 공사장처럼 생겼습니다. 보통의 영화관보다 좌석이 불편할 수밖에 없고, 스크린에 집중하기도 어려운 구조입니다. 시크릿 시네마의 가장 싼 티켓 가격이 일반 영화관에서 가장 비싼 VIP관 티켓 가격보다 1.5배 정도 높은 걸 감안하면 시설이 열악해 보입니다.

하지만 티켓 가격엔 편안한 좌석이 아니라 입체적 관람을 위한 비용이 포함되어 있는 것입니다. 영화가 시작되면 예상치 못한 놀라운 일이 벌어집니다. 영화 관람을 방해할 것만 같았던 스크린 옆의 가설물이 가설 무대로 바뀌며 배우들이 영화 장면에 맞춰, 혹은 카메라와 스크린이 다 담아내지 못하는 프레임 밖 상상의 장면들을 연극으로 재현해 영화를 입체적으로 만듭니다.

예를 들어 주인공이 문을 열고 들어오는 장면이라면 가설 무대에서는 영화에 담겨 있지 않은 문 밖의 상황을 배우가 연기하고 그 연기에 연결되며 영화 속 스크린에서 주인공이 문을 열고 들어옵니다. 또는 주인공이 시장에 간 장면이라면 카메라 앵글에 잡히지 않은 시장의 풍경을 가설 무대 주변에 펼쳐냅니다. 입체적 관람의 흐름이 끊기지 않도록 적절한 타이밍에 영화 속 장면들을 가설 무대에서 그대로 재현하는 건 기본입니다. 2D의 영화를 또 다른 형태의 3D로 구현해낸 셈인데, 3D 영화보다 더 환상적인 고객 경험을 제공합니다.

<블레이드 러너>의 경우 티켓 가격은 3개의 등급으로 구분되어 있습니다. 전체 좌석의 약 10%를 차지하는 가장 비싼 115파운드(약 17만 2,500원)짜리 티켓의 경우 지정 좌석에다가 음식과 음료 구매권 등이 포함되어 있어 차치하더라도 45파운드(약 6만 8,000원)의 가장 낮은 등급의 티켓과 55파운드(약 8만 3,000원)의 중간 등급 티켓 가격의 차이는 스크린 밖의 연극인 프리미엄 스크리닝 경험을 어느 정도로 할 수 있는지 여부에 따라 결정됩니다.

가장 낮은 등급의 객석에서도 프리미엄 스크리닝 경험을 할 수는 있지만, 일부 장면에 국한되어 있습니다.

스크린과 무대를 넘나드는 영화같은 연극이자 연극같은 영화가 끝나면, 여운이 남는 관객들을 위해 세트장이 클럽처럼 바뀝니다. 야식으로도 어울리는 음식과 주류를 파는 상점들은 문을 닫지 않고 있다가 영화가 끝나면 다시 관객들을 맞이하고, 관객들은 세트장에서 리듬을 타며 축제의 끝자락을 붙잡습니다. 특히 금요일과 토요일은 애프터 파티 프로그램을 공식적으로 운영해 티켓 가격이 평일보다 20% 이상 비쌉니다.

관객들이 영화관에 오기 전에는 코스튬으로, 영화를 보러 온 후에는 식음료로 추가 매출을 올렸는데, 영화를 보고난 후에도 기회를 놓치지 않고 야식으로 매출을 끝까지 끌어올립니다. 그에 상응하는 가치를 제공하기 때문에 관객들도 기꺼이 지갑을 열고 시크릿 시네마를 선택합니다.

다음을 기대하게 만드는 시크릿 시네마다움

시크릿 시네마는 창의적이면서도 전략적 접근이 돋보이는 영화관입니다. 하지만 창업자 파비엔 리갈이 처음부터 현재 모습의 시크릿 시네마를 기획하고 영화 관련 사업을 시작한 것은 아닙니다.

영화에 대한 애정이 남달랐던 그는 2003년에 '퓨처 쇼츠Future Shorts'라는 프로젝트를 추진했습니다. 작품을 만들었으나 상영할 기회조차 갖지 못하는 작은 영화 제작자들의 현실이 안타까워 그들의 재능을 세상에 보여주기 위해 만든 이벤트입니다. 그는 퓨처 쇼츠를 이벤트로 끝내지 않고, 이를 진화시켜 2005년에 '퓨처 시네마Future Cinema'를 만듭니다. 퓨처 시네마는 영화 관람과 경험을 결합시킨 라이브 공연입니다. 장소를 숨기는 것을 제외하면 시크릿 시네마와 유사한 구성으로, 시크릿 시네마의 모태가 된 프로젝트입니다. 그가 2개의 프로젝트를 운영하면서 아이디어를 발전시켜 세상에 선보인 것이 시크릿 시네마입니다.

2007년에 시크릿 시네마에서 처음 상영한 작품은 <파라노이드 파크Paranoid Park>로 관객수는 400여 명에 불과했습니다. 하지만 그는 포기하지 않았고, 시크릿 시네마의 기대치를 높여가며 영국 영화 산업의 판을 흔들 정도로 키워냈습니다. 오래된 영화를 심폐소생시키는 것은 물론이고 어디서 하더라도 관객들이 모여들 만한 인기인데 시크릿 시네마가 사업 확장에 대한 고민을 하지 않을 리 없습니다. 똑같은 모델을 복제해 지역을 확장하며 영화관 수를 늘려나가는 것이 예상 가능한 성장의 방향이지만, 파비엔 리갈이 그려가는 성장 시나리오엔 또 한 번의 반전이 있습니다.

그는 규모의 확장보다는 컨셉의 강화를 택합니다. 영화관의 장소뿐만 아니라 영화 제목조차도 알려주지 않는 '시크릿 시네마 텔 노 원Secret Cinema Tell No One'을 만들어 시크릿 시네마보다 더 신비스러움을 유지할 뿐만 아니라 대중성보다는 예술성이 강한 영화를 상영해 영화 마니아들의 판타지를 충족시킵니다. 또한 더 큰 규모로 시크릿 시네마를 키우지 않고, 오히려 반대로 관객들이 시크릿 시네마를 더 친밀하게 즐길 수 있도록 더 작은 규모의 '시크릿 시네마-엑스Secret Cinema-X'라는 프로그램을 기획해 운영합니다. 물론 예술 영화 중심의 시크릿 시네마 텔 노 원도 엑스 프로그램으로 확장해 나갑니다.

그가 시크릿 시네마를 펼쳐가는 과정을 영화로 만든다면 캐릭터가 분명한 영화인 셈입니다. 이야기 구조가 탄탄한 영화도 다음 장면이 기대되지만, 캐릭터 중심이 든든한 영화도 다음 장면이 기다려지긴 마찬가지입니다. 그가 이어나갈 시나리오가 궁금해지는 이유입니다.

피터 해링턴

08

정가보다 싼 헌책이 없는 헌책방

올드한 제품을 골드로 바꾸는 지혜

누구도 책에 관심이 없는 마을에서 헌책방을 연다면 무슨 일이 생길까요? 망할 것이라는 모두의 예상을 깨고 헌책방은 물론이고 쇠락해가던 마을까지 살린 능력자가 있습니다.

탄광촌인 헤이온와이Hay-on-Wye에서 유년 시절을 보냈던 리처드 부스Richard Booth는 옥스포드 대학University of Oxford을 졸업한 후 1962년에 선망받던 런던에서의 삶을 포기하고 앞날이 깜깜한 고향으로 돌아옵니다. 1950년대를 기점으로 석탄 수요가 줄어들면서 폐광촌이 된 마을을 헌책으로 살려보겠다는 뜻을 품은 것입니다. 누구나 수군댈 만큼 무모한 도전이었지만, 그는 보란 듯이 헌책의 무한한 가능성을 증명했습니다. 1,500여 명의 주민이 사는 마을에 이제는 40여 개의 헌책방이 들어섰고, 헌책을 사기 위해 전 세계에서 매년 50만 명 이상의 관광객들이 찾아옵니다.

주민들의 입방아를 이긴 건 애서가들의 입소문이었습니다. 고향으로 돌아온 그는 소방서 건물을 헐값에 사서 헌책방으로 만들고 책을 수집하기 시작합니다. 헌책을 찾아 동분서주하는 과정에서 자연스럽게 네트워크가 생겼고, 헤이온와이에 가면 희귀본을 구할 수 있다는 소문이 퍼지자 마을을 찾는 사람들이 늘어납니다. 입소문의 힘을 확인한 건 우연이었지만, 그는 사람들의 발길을 이끄는 발 없는 말의 중요성을 절감하고 입소문이 날 만한 이야깃거리들을 만들어 냅니다.

소방서를 헌책방으로 변신시킨 데 이어 1971년에는 마을의 상징인 헤이 성을 매입해 헌책방으로 꾸밉니다. 성을 서점으로 바꾸는 것도 흥미로운 시도지만, 그는 더 화제가 될 만한 아이디어를 선보입니다. 헤이 성의 돌담을 따라 책장을 설치하고 '정직 서점Honesty Bookshop'을 연 것입니다. 이름에서 유추할 수 있듯이 정직 서점에는 직원이 없습니다. 심지어 가격표도 없습니다. 고객들이 헌책을 집어들고 알아서 가격을 매겨 요금함에 넣는 방식으로 운영하는 서점입니다. 컨셉 자체도 신선하고, 돌성을 배경으로 한 서점 사진도 낭만적이어서 헤이온와이가 본격적인 유명세를 얻는 계기가 됩니다.

또한 1977년의 만우절에는 헤이온와이 왕국의 독립을 선포하는 이벤트를 엽니다. 만우절 행사이지만 꽤나 진지하게 접근합니다. 그가 왕관을 쓰고 직접 서적왕 즉위식을 거행하는 것은 기본이고, 왕국의 독자적인 화폐와 여권 등도 발행합니다. 상상력을 말로만 풀어낸 게 아니라 현실에 구현해낸 덕분에 애서가들의 관심을 끕니다.

그가 뿌린 화젯거리로 헤이온와이가 책마을로 자리를 잡아가자 이번에는 마을 전체가 이야깃거리를 생산합니다. 헤이온와이는 1988년부터 매년 5월경 10여 일 간 '헤이 페스티벌^{Hay} Festival'을 주최해 책을 사랑하는 사람들을 마을로 불러 모읍니다. 축제 기간 동안에는 노벨문학상 수상자, 세계적으로 유명한 작가, 방송인 등이 참석해 축제를 빛내며 책읽기 행사뿐만 아니라 음악, 전시, 거리 퍼포먼스 등 다양한 프로그램도 펼쳐집니다. 이 기간 동안 10만 명 이상의 관광객들이 마을을 찾습니다. 매년 입소문을 확산해내는 이 축제 덕분에 헤이온와이는 애서가들이 라면 한 번쯤 가보고 싶은 성지로 자리매김합니다.

책을 사랑하는 퇴사준비생이라면 런던을 여행하는 김에 헤 이온와이를 둘러보고 싶다는 마음이 들 수도 있지만, 문제는 마 을의 위치입니다. 런던의 패딩턴^{Paddington} 역에서 웨일스의 헤리 포드^{Hereford} 역까지는 기차를 타고 3시간 정도 가야 하며, 역에서 내려 다시 버스를 타고 1시간가량 들어가야 합니다. 당일치기로 다녀오기엔 무리인 일정입니다. 그렇다고 헌책을 향한 애정을 내려놓을 필요는 없습니다. 런던에는 또 다른 형태로 낭만을 채 워줄 '피터 해링턴^{Peter Harrington}'이 있습니다.

새책을 파는 듯한 헌책방

헌책방의 풍경은 헌책과 닮아 있습니다. 유럽의 헌책방들은 빛 바랜 책처럼 어딘지 모르게 낡아 있고, 잉크냄새 대신 책내음이 그득합니다. 또한 목차가 찢어진 헌책마냥 서가에는 책들이 순 서를 모르고 더미로 쌓여 있거나 빼곡하게 꽂혀 있습니다. 시간

1
피터 해링턴 첼시점 매장 전경입니다. 명품 브
랜드 매장에서 볼 법한 거대한 깃발로 옆간판을
달았습니다.

을 잃은 듯한 분위기에서 길을 잃고 헤매다가 보통의 서점에서 살 수 없는 책들을 발견하는 재미에 애서가들은 헌책방을 갑니다. 표기된 책가격보다 싸게 구매하는 건 덤입니다.

피터 해링턴에서도 헌책을 팝니다. 하지만 보통의 헌책방과는 확연히 다른 모습입니다. 우선 간판부터 차이가 있습니다. 리젠트 스트리트Regent street의 명품 브랜드 매장에서 볼 법한 거대한 깃발로 옆간판을 달았습니다. 매장 문을 열고 들어가도 차이가 느껴지는 건 마찬가지입니다. 새책이라곤 새로 나온 헌책을 소개하는 책자 정도밖에 없지만 매장 안은 새책을 파는 서점처럼 보입니다. 책을 추천하듯 책표지를 보여주는 디스플레이 방식을 택하기도 하고, 책을 빼곡하게 꽂아 놓기보다 차곡하게 꽂아 놓아 정돈된 느낌을 줍니다. 심지어 누가 책을 집어가더라도 눈감아줄 것만 같은 여느 헌책방의 분위기와 달리 지하층이나 위층으로 이동하기 위해서는 가방을 맡겨야 합니다.

단순히 공간 연출만 바꾼 것이 아닙니다. 헌책을 들여다보면 눈이 휘둥그레질 정도로 더 큰 차이가 있습니다.

#1. 새책에는 없는 헌책의 가치

'6만 6,500파운드(약 1억 원)'

피터 해링턴 매장의 한쪽 코너에 세워둔 유리 진열장 안에 있는 9권의 헌책 가격을 더한 값입니다. 1권 당 평균 1,000만 원

1
유리 진열장 안에 있는 헌책 가격을 더하면 6만
6,500파운드(약 1억 원)로 책값이라고 생각
하기 어려울 정도로 가격대가 높습니다.

이 넘는 셈입니다. 대표적인 책 몇 권만 살펴보면 미국의 대공황기를 대서사시로 풀어낸 존 스타인벡John Steinbeck의《분노의 포도 The Grapes of Wrath》가 6,000파운드(약 900만 원), 펠릭스 잘텐Felix Salten의 원작 소설을 월트 디즈니Walt Disney가 만화로 만들어 제작한 《밤비Bambi》가 8,750파운드(약 1,313만 원), 탄광 지대의 실업 문제를 다룬 조지 오웰George Orwell의《위건 부두로 가는 길The Road to Wigan Pier》이 1만 5,000파운드(약 2,250만 원)입니다.

특별히 비싼 책만 모아둔 것이긴 하지만, 피터 해링턴에서 판매하는 모든 헌책들은 기본적으로 비쌉니다. 눈길을 돌려 어느 책장을 보아도 눈에 들어오는 영역에 있는 헌책들의 가격을 더해보면 1,000만 원을 가볍게 넘습니다. 정가보다 싼 책은 한 권도 없습니다. 피터 해링턴이 저명한 저자의 초판본이나 사인본, 그리고 희소성 있는 헌책들만 선별해서 팔기 때문에 가능한 가격 설정입니다. 이렇게나 비싼 헌책을 누가 사나 싶지만 피터 해링턴은 2015년 기준으로 2,000만 파운드(약 300억 원)의 매출을 올렸습니다.

피터 해링턴에서 벌어지는 비현실적인 현실을 이해하기 위해서는 헌 물건의 속성에 대한 이해가 필요합니다. 여러 요소가 복합적으로 작용해 헌 물건의 가치가 결정되지만, 그중에서도 중요한 2가지 요소는 '시간'과 '사람'입니다.

누군가 사용하던 물건이 중고 시장에 나온 지 얼마 안 되면 신제품과 경쟁합니다. 가격을 낮춰야만 선택받을 가능성이 높아지는 것입니다. 그러던 헌 물건이 세월을 버텨내면 가치가 올라가기 시작합니다. 더 이상 생산될 수 없기에 희소성을 가지며, 물건이 사용되던 시대를 등에 업기에 차별성이 생깁니다. 그래서 앤티크 혹은 빈티지 제품들은 과거에 누군가가 쓰던 물건임에도 불구하고 보통의 중고 제품 가격과는 차이가 납니다. 또한 헌 물건은 누구의 손때가 묻었느냐가 중요합니다. 보통 사람이 물건에 사인을 하면 낙서로 여겨지고, 제품의 가치가 떨어집니다. 반면에 저명 인사가 사인을 하면 증서를 붙인 셈이 되고, 가치가 올라갑니다. 특히 사용자로서의 사인이 아니라 만든이로서의 서명이라면 가치는 더 커집니다.

피터 해링턴은 헌 물건의 속성을 이해하고 책에 적용시켰습니다. 그래서 시간이 흘러 희귀해진 헌책이거나 작가가 직접 서명한 헌책들을 수집해 정가보다 비싸게, 그것도 책의 가격이라고는 상상하기 어려울 정도로 높은 가격에 판매할 수 있는 것입니다.

#2. 새책처럼 만든 헌책의 값어치

헌책 중에서도 가치가 있는 책들에 주목해 높은 가격에 판매하는 것은 영리한 접근입니다. 하지만 사업의 지속성이나 성장을 담보하기 어렵다는 문제가 있습니다. 헌책을 수집하는 수요층이 있다고 해도 소장 가치가 있는 헌책들을 확보하는 게 쉽지 않기 때문입니다. 어렵사리 구했다 하더라도 문제가 또 있습니다. 오래된 책들은 책표지가 심하게 훼손되어 있거나 페이지가 쉽게 뜯

어지는 등 읽기에도, 보관하기에도 불편합니다. 가치 있는 헌책들의 값어치를 떨어뜨리는 요소입니다.

그래서 피터 해링턴은 헌책의 커버를 양장본으로 리커버하여 새책처럼 만들어 판매합니다. 유명 작가의 초판본이거나 저자 서명이 있는 책이지만 너덜너덜하여 위태롭던 헌책들도 양장본으로 리커버를 하면 고급스런 책으로 거듭납니다. 또한 가죽 등 고급 재질로 리커버를 하기 때문에 책 자체의 소장 가치가 높아져 비교적 최근 작가의 헌책들도 콜렉션에 포함시킬 수 있습니다. 특히 양장본이 빛을 발하는 건 전집일 경우입니다. 여러 권의 책을 가죽 양장본으로 만들어 책장에 꽂아두면 인테리어로도 그만입니다. 피터 해링턴 매장에서 지적인 분위기가 흐르는 이유이기도 합니다.

양장본 전집의 위엄을 제대로 느낄 수 있는 곳은 지하층입니다. 이 곳의 책장은 문학 분야의 리커버 양장본들로 채워져 있는데, 서가를 품격있게 만드는 책들이 소장하고 싶은 마음이 들게 합니다. 하지만 가격표를 보면 생각이 달라질 수도 있습니다.

J.K. 롤링J.K. Rowling의《해리 포터Harry Potter》시리즈 일곱 편의 초판을 모아 양장본으로 리커버한 전집은 1만 8,000파운드(약 2,700만 원),《오만과 편견Pride and Prejudice》등 5권으로 구성된 제인 오스틴Jane Austen 전집은 4,500파운드(약 675만 원),《톰 소여의 모험The Adventures of Tom Sawyer》,《허클베리핀의 모험Adventures of Huckleberry Finn》등이 포함된 24권 분량의 마크 트웨인Mark Twain 전집은 1만 5,000파운드(약 2,250만 원),《동물 농장》,《1984》등이 담

2

1 · 2
지하 층에서는 서가를 품격있게 만드는 양장
본 전집 및 양장본 리커버 책의 위엄을 느낄
수 있습니다.

1
J.K. 롤링의 《해리 포터》 시리즈 일곱 편의 초판을 모아 양장본으로 리커버한 전집을 1만 8,000파운드(약 2,700만 원)에 판매합니다.

2·3
오스카 와일드와 에밀 졸라의 전집입니다. 오스카 와일드 전집은 3,000파운드(약 450만 원)입니다.

4
책장에 꽂혀있는 책 중 파란색 양장본이 코난 도일의 《공포의 계곡》이며, 한 권의 값이 975파운드(약 146만 원)입니다.

긴 8권의 조지 오웰 전집은 6,000파운드(약 900만 원)입니다. 이 외에도 에밀 졸라Emile Zola, 오스카 와일드Oscar Wilde, 찰스 디킨스 Charles Dickens 등의 전집들이 평범한 책장을 비범하게 만듭니다.

전집이 부담스러워 낱권으로 판매하는 책들을 봐도 선뜻 지갑을 열기 어려운 건 마찬가지입니다. 셜록 홈즈Sherlock Holmes 를 탄생시킨 코난 도일Conan Doyle의 《공포의 계곡The Valley of Fear》 을 975파운드(약 146만 원)에 판매하는 등 보통의 책방에서 구매할 수 있는 책과는 가격대가 현격히 다릅니다. 내용은 일반 서점에서 파는 책과 다를 바 없을 텐데 피터 해링턴은 헌책들을 양장본으로 리커버해 기존의 책들이 누리지 못하던 값어치를 만들어냈습니다.

#3. 헌책 없이 헌책을 파는 기지

피터 해링턴은 헌책들을 양장본으로 리커버해 소장 가치가 있는 헌책들의 공급을 늘렸습니다. 이 또한 영리한 접근입니다. 하지만 여전히 두 가지 측면에서 경영상의 어려움이 남아 있습니다. 하나는 재고 부담입니다. 가격대가 높다보니 일반 서점보다 판매 회전율이 낮은 데다가 위탁 운영 방식이 아니라 사입 방식으로 판매하기 때문에 재고 비용이 만만치가 않습니다. 또 하나는 계속되는 공급 부족입니다. 헌책의 특성상 소유자가 내놓아야 헌책을 확보할 수 있는데 수집 가치가 높은 책들은 시장에 팔기보다 보유하고 있으려는 경향이 높아 헌책의 공급 풀을 늘리는 데 한계가 있습니다.

　이러한 문제점들을 보완해주는 장치가 '책 바인딩 서비스'입니다. 고객들이 소유하고 있는 헌책을 맡기면 가죽 양장본으로 리커버 해주는 서비스입니다. 고객 입장에서는 소장하고 있는 헌책들을 더 가치있게 보관할 수 있는 장점이 있고, 피터 해링턴 입장에서는 헌책을 사입하기 위해 가격 흥정이나 초기 투자를 하지 않아도 되는 이점이 생깁니다. 또한 피터 해링턴은 이미 헌책의 리커버 판매를 위해 세계적인 수준의 기술자를 고용하고 제본 기계를 들여 놓았기 때문에 추가 투자 없이 책 바인딩 서비스를 운영할 수 있습니다.

　책 바인딩 서비스는 535파운드(약 80만 원)부터 시작합니다. 가죽으로 리커버를 하고 금박으로 제목을 입히는 등의 서비스가 기본 사양입니다. 여기에다가 책등에 입체감을 만드는 밴드를 추가하는지 여부, 금박으로 문양을 넣는 정도, 가죽의 종류와 색깔 등에 따라 가격이 올라갑니다. 양장본 리커버까지는 아니더라도 책장에 꽂았을 때의 분위기만 필요한 고객들을 위해 양장본 형태의 책 케이스도 팝니다. 최저 사양이 200파운드(약 30만 원)정도이니 책 자체를 양장본으로 리커버하는 것보다는 상대적으로 저렴한 편입니다.

　책 바인딩 서비스의 가격도 물론 중요하지만, 고객들은 가격만큼이나 양장본으로 리커버하는 과정을 궁금해합니다. 소중한 책을 재가공하여 다른 모습으로 만들어 내는 건데, 그 과정에서 책이 망가지지는 않는지 혹은 리커버한 책은 어떻게 달라지는

지 등에 대한 내용이 알고 싶을 법합니다. 그런 점에서 피터 해링턴이 유튜브에 올려둔 책 바인딩 과정 동영상은 고객들의 걱정과 궁금증을 헤아리는 콘텐츠입니다. 동영상을 통해 책 바인딩 과정을 11단계로 나누어 보여주며, 각 단계별로 자세한 설명을 덧붙입니다. 장인정신을 담은 제작 과정과 고급스럽게 재탄생한 책을 보면, 눈녹듯 걱정이 사라지고 눈먼듯 지갑이 열립니다. 꼭 헌책이 아니더라도 애정하는 책이 있을 경우 양장본으로 리커버하고 싶은 마음이 들 정도입니다. 책 바인딩 서비스 역시도 헌책을 중심으로 또 하나의 시장 기회를 파생시킨 영리한 접근입니다.

예술 작품도 파는 헌책방

피터 해링턴 매장 1층의 벽면 곳곳과 계단의 벽면, 그리고 지하층의 한쪽 방에는 그림이 걸려 있습니다. 인테리어 장식을 위한 그림들이 아니라 판매하는 예술 작품들입니다. 헌책방에서 예술 작품을 파는 것이 어쩌면 생뚱맞아 보일 수 있지만, 내막을 들여다보면 나름의 사연과 함께 사업적 필연을 찾을 수 있습니다.

피터 해링턴은 가족 기업입니다. 1969년도에 피터 해링턴이 매장을 오픈했고, 2000년부터는 아들인 폼 해링턴이 물려 받아 운영하고 있습니다. 매장을 열고 20년이 지난 시점인 1989년에는 피터 해링턴의 부인인 마티 해링턴이 딸인 니키 해링턴과 함께 별개의 사업으로 갤러리인 '올드 처치 갤러리즈Old Church Galleries'를 런칭하며 사업가 집안의 면모를 보여줍니다. 모녀가 운

1
지하층의 한쪽 방에서는 데미안 허스트, 스틱 등 유명한 아티스트들의 예술 작품을 판매하고 있습니다.

2
예술 작품들 중 가장 비싼 예술 작품은 크리스토퍼 리차드 윈 네빈슨의 <The Road from Arras to Bapaume>로 7만 5,000파운드(약 1억 1,250만 원)입니다.

3·4
층과 층 사이의 계단부에도 예술 작품들이 걸려 있습니다. 인테리어 장식이 아니라 판매하는 작품입니다.

영하는 갤러리도 2호점을 낼만큼 사세를 확장했지만, 마티는 나이가 들고 니키는 시집을 가면서 더 이상 정상적인 운영이 어려워졌습니다. 그래서 2010년에 올드 처치 갤러리즈는 피터 해링턴과 합병을 하게 됩니다.

가족이라는 이유로 합병을 했지만, 사업적 연결 고리가 없는 것은 아닙니다. 피터 해링턴의 고객들은 애서가의 성향보다는 수집가의 기질이 크기 때문입니다. 대부분의 경우 고객들은 독서를 위해서가 아니라 인테리어 장식 혹은 대안적인 투자의 목적으로 피터 해링턴에서 책을 찾습니다. 예술 작품을 찾는 고객들과 공통 분모를 가지고 있는 것입니다. 그래서 피터 해링턴에서 판매하는 앤디 워홀Andy Warhol, 키스 해링Keith Haring, 데미안 허스트Damien Hirst 등을 비롯한 여러 예술가들의 작품들이 이질적으로 느껴지지 않습니다. 사연이 있는 합병이 필연적인 성장의 기회를 만든 셈입니다.

기존에 팔던 물건을 가지고 새로운 고객들을 찾아 나서는 것도 사업을 키우는 방법이지만, 기존 고객들의 특성을 이해하고 그들이 원하는 새로운 물건을 파는 것도 사업을 성장시키는 또 다른 방법입니다. 피터 해링턴에서 앞으로 또 무엇을 팔지가 궁금해집니다.

09

다크 슈가즈

기분까지 충전하는 초콜릿 가게
원산지는 표기의 대상이 아니라 정체성이다

결과물뿐만 아니라 제작 과정까지도 알고 싶은 게 팬들의 마음입니다. 영국 작가 로알드 달Roald Dahl의 아동용 소설을 스크린에 펼쳐 놓은 <찰리와 초콜릿 공장Charlie and the Chocolate Factory>도 '윌리 웡카Willy Wonka' 초콜릿에 대한 팬심으로부터 시작합니다. 윌리 웡카의 초콜릿 공장은 누구나 먹고 싶어 하는 초콜릿을 생산하지만 누구도 출입할 수 없던 곳입니다. 스파이들이 직원을 가장해 공장을 드나들며 레시피를 빼내가자 윌리 웡카가 직원들을 모두 내쫓고 공장을 비밀리에 운영했기 때문입니다. 그랬던 그가 후계자를 찾기 위해 공장 견학 초대권인 황금 티켓 5장을 초콜릿 포장에 담아 유통시키자 맛의 비결을 알고 싶던 전 세계 팬들이 들썩거립니다.

　　황금 티켓을 거머쥔 5명의 어린이들이 보호자와 함께 초대받아 공장을 견학하며 이야기가 전개됩니다. 공장 내 구역을 넘어갈 때마다 한 명씩 탈락하면서 마지막 한 명의 후계자가 남기까지의 과정을 풍자와 해학을 담아 묘사하는 것이 영화의 중심이지만, 퇴사준비생에게는 공장 내부의 운영 방식이 눈에 더 들어웁니다. 공장 곳곳에 윌리 윙카 초콜릿이 차별적 경쟁력을 갖는 이유가 숨어 있기 때문입니다.

누구도 출입하지 못하는 공장에서 제품 생산은 자동화 기계가 아니라 '움파 룸파Oompa-Loompas'족이 담당했습니다. 공장 문을 닫은 이후 창업자 윌리 윙카가 카카오 열매를 찾기 위해 아프리카 정글을 탐험하던 중 이들을 발견했는데, 카카오라면 사족을 못 쓸만큼 카카오에 애정을 가진 부족입니다. 그래서 그들은 초콜릿 공장에서 같이 일해보자는 윌리 윙카의 제안을 선뜻 받아들이고 공장에서 초콜릿을 만들기 시작합니다. 카카오에 대해 진지하게 접근하고 춤과 노래를 즐기는 부족이라 공장 내부에는 묘한 긴장감과 함께 쿨한 흥겨움이 흐릅니다. 이런 부족이 만들어내는 초콜릿의 맛은 기계처럼 일하는 직원들이 찍어내는 초콜릿과 다를 수밖에 없습니다.

공장 내부에서 첫 번째로 공개하는 구역은 '초콜릿 낙원'입니다. 액상 초콜릿이 폭포수처럼 떨어져 강이 되어 흐르는 곳입니다. 여기서 윌리 윙카는 중요한 건 '폭포'이고 폭포로 휘저어야 기포가 풍부해진다고 강조하며, 폭포로 초콜릿을 휘젓는 공장은 여기뿐이라고 덧붙입니다. 제조 방식의 핵심적인 차이를 설명하는 것입니다. 초콜릿을 휘젓는 수단이 다르니 초콜릿의 감도는 맛에 차별성이 생깁니다.

'발명의 방The inventing Room'도 윌리 윙카 초콜릿이 경쟁력을 유지하는 비결입니다. 윌리 윙카가 공장에서 가장 중요한 곳이라고 설명하는 이 방에선 신제품을 연구개발합니다. 가난한 아이들을 위해 영원히 녹지 않는 캔디를 만들거나 밥을 먹지 않고도 포만감을 느끼고 싶어 하는 아이들을 위해 씹기만 해도 배를 채울 수 있는 껌을 개발하는 식입니다. 발명으로 표현할 만큼 기술력이 필요하지만, 기술이 아니라 고객의 니즈를 우선적으로 고려하기에 고객이 원하는 제품을 만들 수 있습니다.

판매 방식에 대한 윌리 웡카의 상상력도 주목할만합니다. 그는 전파를 통해 텔레비전 화면을 전송하듯, '텔레포터' 방식으로 초콜릿을 배송하는 세상을 준비합니다. 텔레비전에 윌리 웡카 초콜릿 광고가 나올 때, 시청자들이 초콜릿을 먹고 싶다면 텔레비전 안으로 팔을 뻗어 초콜릿을 꺼내 먹을 수 있는 현실을 꿈꾸는 것입니다. 고객의 입장에서 더 편리하게 구매할 수 있는 방법에 대해 고민하기 때문에 가능한 상상입니다.

윌리 웡카의 비즈니스 감각을 보면 윌리 웡카 초콜릿이 세계 최고의 초콜릿인 이유를 이해할 수 있습니다. 하지만 영화 속 가상의 세계가 끝나면 윌리 웡카 초콜릿 공장도 초콜릿처럼 녹아내려 현실에서 사라지고 맙니다. 초콜릿 마니아들의 판타지를 자극하는 윌리 웡카 초콜릿 공장까지는 아니더라도 아쉬움을 달랠 수 있는 초콜릿 매장은 없을까요? 런던의 브릭 레인 마켓Brick Lane Market에 황금 티켓 없이도 출입이 가능한 '다크 슈가즈 코코아 하우스Dark Sugars Cocoa House'가 있습니다.

1
다크 슈가즈 코코아 하우스 매장 전경입니다.
런던의 대표적 마켓 중 하나인 브릭 레인 마켓
에 위치해 있습니다.

전통이 아닌 정통을 선택한 초콜릿 가게

다크 슈가즈 코코아 하우스의 창업자인 파토우 니앙가^{Fatou Nyanga}
는 코코아의 매력에 빠져 1999년에 스피탈필즈^{Spitalfields} 노상에
서 트러플 초콜릿을 팔았습니다. 그러다 그녀만큼이나 코코아
에 대한 열정이 있던 폴 서더랜드^{Paul Sutherland}를 만나 초콜릿 사
업을 하기로 의기투합합니다. 그와 함께 보로우 마켓^{Borough Mar-}
^{ket}으로 자리를 옮겨 초콜릿을 팔기 시작했지만, 이내 한계를 느
낍니다. 여느 초콜릿 매장과 다를 바 없었기 때문입니다.

사업을 키우기 위해선 변화가 필요하다고 판단한 그녀는
카카오 원산지인 아프리카 대륙으로 건너갑니다. 윌리 웡카가
공장 폐쇄 후 더 나은 카카오 열매를 찾기 위해 아프리카를 간 것
과 유사한 행보입니다. 그녀는 초콜릿 전문가 쇼콜라티에^{Chocolat-}
^{ier}자격증을 따며 유럽 초콜릿의 전통적인 권위에 기대기보다 남
아프리카 공화국과 가나의 코코아 농장에서 3년 여의 시간을 보
내며 코코아를 재배하고 연구하면서 경험을 쌓습니다.

다시 런던으로 돌아온 그녀는 2013년에 폴 서더랜드와 함
께 브릭 레인 마켓에 '다크 슈가즈'라는 간판을 걸고 매장을 오
픈합니다. 기존의 틀에서 벗어나 카카오 함유량이 높은 정통의
초콜릿을 선보이자 고객들이 모여들기 시작했습니다. 가능성을
확인한 그녀는 아프리카를 원산지 표기의 대상으로만 여기는 것
이 아니라 브랜드의 정체성으로 삼아 '다크 슈가즈 코코아 하우
스'를 본점 근처에 오픈합니다. 2호점인 다크 슈가즈 코코아 하

1
다크 슈가즈를 만들 때 핵심 역할을 한 '5명의 영웅들' 초상화입니다. 정중앙이 창업자 파토우 니앙가이고, 우측 상단이 공동 창업자 폴 서더랜드입니다.

2
초콜릿을 보고 신이 난 아프리카 어린이들을 묘사한 그림입니다. 어린이들의 순수한 웃음에 덩달아 미소가 지어집니다.

3
[영상] 공동 창업자 폴 아저씨가 흥겹게 핫초콜릿을 만들어 줍니다.

우스는 보통의 초콜릿 가게와는 다른 모습인데다가 윌리 웡카의 초콜릿 공장과의 공통분모가 있어 초콜릿 마니아들의 달콤한 환상을 채워주는 곳이기도 합니다.

#1. 움파 룸파족 대신 흥부자들

다크 슈가즈 코코아 하우스는 유럽풍의 고급스런 분위기는 다른 초콜릿 가게들에게 양보하고 아프리카의 이국적인 분위기로 가게를 꾸몄습니다. 매장에 들어서면 아프리카의 거대한 나무의 뿌리를 본뜨거나 나무 본연의 느낌을 살린 테이블, 의자, 진열대, 받침대, 이름표 등이 눈에 띕니다. 또한 벽에는 초콜릿을 든 아프리카 어린이들의 웃음 가득한 표정을 그린 그림이 수줍게 자리잡고 있고, 또 다른 벽에는 다크 슈가즈를 만들 때 핵심역할을 한 아프리카인 5명의 초상화가 위풍당당하게 걸려 있습니다. '초콜릿은 유럽'이라는 기존의 공식을 따랐다면 나올 수 없는 매장 디자인입니다.

공간을 더욱 이국적으로 채우는 건 배경음악입니다. 타루스 라일리Tarrus Riley, 모모 디엥Momo Dieng, 새미 데이비스 주니어Sammy Davis Jr. 등 아프리카계 가수들이 부르는 소울 넘치는 노래가 매장에 아프리카의 영혼을 불어넣습니다. 대중의 눈높이에 맞춘 음악이 흐르다가 때때로 진한 아프리카풍의 노래도 나오는데, 노래의 느낌이 낯설긴 해도 아프리카의 분위기를 한껏 고조시키는 역할을 합니다.

1
다크 슈가즈 코코아 하우스의 시그니처 핫
초콜릿입니다. 핫 초콜릿 위에 초콜릿 고명
이 넘칠 만큼 얹어져 있습니다.

2
폴 아저씨 뒤에 있는 메뉴판을 보면 다크 슈
가즈 코코아 하우스 메뉴의 차별성을 확인
할 수 있습니다.

노래를 들으며 어깨를 들썩거리는 건 고객들만이 아닙니다. 대부분의 직원은 아프리카계 출신으로 구성되어 있는데, 이들은 일하는 중간 중간 음악에 맞춰 리듬을 탑니다. 특히 매장을 방문했을 때 운이 좋아 '폴 아저씨Uncle Paul'로 불리는 공동 창업자 폴 서더랜드를 만난다면 흥의 정점을 경험할 수도 있습니다. 직원들 스스로가 흥에 겨워 춤을 추고 노래를 흥얼거리는 매장의 기운 덕분에 초콜릿을 고르는 과정에서 기분이 납니다. 더불어 흥부자들이 파는 초콜릿은 맛도 더 달달할 것만 같은 기대도 생깁니다. 교육받은 미소와 친절로 중무장한 매장과는 차원이 다른 고객 경험입니다.

#2. 폭포만큼이나 중요한 초콜릿 고명

다크 슈가즈 코코아 하우스의 시그니처는 핫 초콜릿 위에 얹어주는 초콜릿 고명입니다. 커다란 돌처럼 생긴 다크, 화이트, 밀크 초콜릿 고형물을 채 썰 듯 칼로 썰어 핫 초콜릿 위에 듬뿍 올려줍니다. 3가지 종류의 초콜릿을 썰어서 장식을 하기 때문에 초콜릿 색의 그라데이션이 생기고, 핫 초콜릿이 넘쳐흐를 만큼 아낌없이 얹은 초콜릿 고명이 표면장력처럼 균형을 이루고 있어 SNS에 올리기 그만인 비주얼입니다.

채 썬 모양의 초콜릿 고명은 핫 초콜릿의 비주얼을 돋보이게 하는 역할도 하지만 맛을 더욱 달콤하게 하는 데도 중요한 기능을 합니다. 초콜릿 고명이 녹으면서 핫 초콜릿 농도를 더 진하게 해주기 때문입니다. 고객들은 핫 초콜릿 컵에 꽂아져 나오는 나무 막대를 휘저어 초콜릿 고명을 녹이면서 농도가 진한 초콜릿을 마실 수 있습니다. 여기에 더해 창업자 파토우 니앙가는 숟가락을 사용하면 핫 초콜릿을 더 맛있게 먹을 수 있다고 조언합니다. 핫 초콜릿의 양이 줄어들수록 핫 초콜릿이 더 부드럽고 진해지는데, 그 부분을 숟가락으로 떠먹으면 막 녹인 초콜릿의 정수를 맛볼 수 있다는 설명입니다. 마치 윌리 웡카의 초콜릿 공장 내에 있는 폭포가 윌리 웡카 초콜릿을 남다르게 하듯, 초콜릿 고명이 다크 슈가즈 코코아 하우스의 차별적 경쟁력을 만드는 셈입니다.

또한 핫 초콜릿 위에 올리는 초콜릿 고명뿐만 아니라 핫 초콜릿 자체도 시그니처화해 고객들의 구매 욕구를 자극합니다. 메뉴판은 시그니처 핫 초콜릿 메뉴와 보통의 핫 초콜릿 메뉴로 구분되어 있는데, 시그니처 메뉴로는 헤이즐넛 프랄린Hazelnut Praline, 화이트 말차White Matcha, 화이트 사프란White Saffron 핫 초콜릿 등 다른 곳에서는 접하기 어려운 메뉴를 제공합니다. 보통의 핫 초콜릿 메뉴도 특징적이긴 마찬가지입니다. 고추맛Chili, 생강맛Ginger, 육두구맛Nutmeg, 카다몬맛Cardamon 등 핫 초콜릿과 어울리지 않을 것만 같은 맛을 조화시킵니다. 한 번쯤 시도해보고 싶은 맛의 핫 초콜릿들입니다.

#3. 발명의 방에서 나올 법한 초콜릿들

다크 슈가즈 코코아 하우스에선 70여 종이 넘는 초콜릿을 판매합니다. 단순히 개수만 늘린 것이 아니라 나름의 체계로 구분해 유형별로 구역을 나누어 진열하기 때문에 초콜릿을 쇼핑하는 재미가 있습니다. 핫 초콜릿을 파는 카페 구역에 있는 초콜릿 매대에선 '진주 품은 달빛Pearl Moonlight', '춤추는 별Disco Star', '코코아 월식Cocoa Eclipse' 등 위트있는 이름을 가졌으면서도 이름과 어울리는 초콜릿들이 초콜릿 마니아들을 상상의 세계로 안내합니다.

또 다른 구역에는 비주얼로 시선을 사로잡는 초콜릿들이 진열되어 있습니다. 입에 넣기도 전에 눈을 호강시켜주는 초콜릿들입니다. 크게는 두 가지 방식으로 비주얼을 표현합니다. 하나는 초콜릿에 색깔을 입히는 것입니다. 초콜릿에 이런 빛깔을 표현하는 것이 가능한가 의문이 들 정도로 화려합니다. 또 하나는 초콜릿에 모양을 더하는 것입니다. 작품같은 초콜릿이 행과 열을 맞춰 놓여 있어 먹기 아까운 마음이 듭니다.

빼앗긴 시선을 되찾아와 고개를 돌려보면 갈색의 보통 이름표와 달리 초록색으로 만들어져 눈에 띄는 이름표가 보입니다. 이 구역에는 채식주의자들을 위한 비건 초콜릿이 매대를 채우고 있습니다. 이름표의 아래 부분에는 초콜릿의 구성 요소들을 표기했는데, 그 중에서 포함되지 않은 요소는 줄을 그어 삭제 표시해 채식주의자들이 채식의 정도에 맞춰 초콜릿을 고를 수 있도록 배려했습니다.

1 · 2 · 3 · 4

초콜릿 이름의 틀을 깨는 초콜릿들입니다. 다른 곳에서 경험하기 어려운 초콜릿을 만들기 위해 상상력을 동원한 흔적이 엿보입니다.

5·6
색깔을 입히거나 모양을 내 예술 작품처럼
만든 초콜릿이 고객들의 시선을 사로잡습
니다.

7
채식주의자들을 위한 초콜릿입니다. 초록
색 이름표로 표기를 해두어 눈에 띕니다.

8
기본에 충실한 초콜릿이지만 낯선 맛으로
새로움을 더했습니다.

1·2
초콜릿 앞쪽에 놓여 있는 비닐 봉투에 초콜
릿을 담아서 무게를 잰 후, 무게에 따라 계
산을 하는 방식입니다.

3
선물용으로 초콜릿을 사는 고객들을 위해
다양한 종류의 선물용 박스도 판매합니다.

물론 한쪽 벽면에는 기본에 충실하게 맛으로 초콜릿을 구분한 매대도 있습니다. 하지만 이 코너에서도 편강과 꿀맛Stem ginger & honey, 살구 브랜디맛Apricot brandy, 보드카와 오렌지맛Vodka & orange 등 다른 곳에서는 경험하기 힘든 낯선 맛의 초콜릿을 발견할 수 있습니다. 특이한 이름을 가진 초콜릿, 비주얼로 시선을 사로잡는 초콜릿, 채식주의자를 위한 비건 초콜릿, 그리고 낯선 맛의 초콜릿 등 고객들의 마음에 들기 위해 발명의 방에 들어가서 연구해야만 선보일 수 있는 초콜릿들로 가득합니다.

#4. 텔레포터에 버금가는 판매 방식

다크 슈가즈 코코아 하우스에서는 보통의 초콜릿 매장과 달리 오픈 디스플레이 방식으로 초콜릿을 판매합니다. 유리 진열대 안에 갇혀 있던 초콜릿들을 밖으로 꺼내 진열하는 풍경이 신선합니다. 게다가 초콜릿 앞에는 으레 있어야 할 가격표가 붙어 있지 않습니다. 가격을 모른 채 초콜릿을 구경하는 경험 또한 새롭습니다. 흥미로운 방식 정도로 생각하고 넘어갈 수도 있지만, 호기심을 가지고 들여다보면 이와 같은 판매 방식에서 작지만 큰 차이를 발견할 수 있습니다.

우선 유리 진열대가 사라지자 고객과 초콜릿 사이의 거리가 좁아집니다. 그만큼 고객들은 초콜릿을 가깝고 편하게 대할 수 있습니다. 또한 초콜릿 가격이 보이지 않으니 고객들은 가격에 휘둘리지 않고 초콜릿 자체에 집중해 고를 수 있는 기회를 갖습니다. 고객들이 이성적으로 판단하기 전에 충분히 초콜릿의 세계에 빠져들 수 있도록 고객 경험을 설계한 것입니다. 여기에다가 가격 책정 방식을 달리해 고객들이 지갑의 신호가 아니라 마음의 소리를 들을 수 있도록 돕습니다.

이 곳에서는 개당으로 가격을 책정하지 않고 그램당으로 가격을 매깁니다. 매장 내 곳곳에 놓여 있는 비닐 봉투를 집어 들고 마음에 드는 초콜릿을 비닐 봉투에 넣어 계산대로 가져가면 무게를 재 가격을 알려주는 식입니다. 100그램당 7.75파운드(약 1만 2,000원)로 가격이 명시되어 있지만, 개당 가격이 아니다 보니 고객들은 초콜릿을 담으면서 얼마의 가격이 나올지 예측할 수가 없습니다. 손을 뻗으면 초콜릿을 집을 수 있고 가격에 대한 인지를 할 수 없으니 고객들이 마음의 소리에 따라 초콜릿을 비닐 봉투에 담을 가능성이 높아집니다. 윌리 윙카가 텔레포터 기술을 활용해 고객이 원할 때 바로 초콜릿을 먹을 수 있는 환경을 만들려고 한 것에 준하는 판매 혁신인 셈입니다.

아프리카의 흥이 만들어낸 신흥강자

윌리 윙카는 초콜릿 공장 투어를 마치면 바로 후계자 선정을 할 수 있을 거라 자신했습니다. 그도 그럴 것이 초대받은 5명의 어린이들이 윌리 윙카 초콜릿의 팬들이기도 했고, 세계 최고의 초콜릿 공장을 물려준다는데 거절할 사람은 없을 것이기 때문입니다. 하지만 그의 기대와 달리 초콜릿 공장 투어를 마쳤지만, 그는 후계자를 선정할 수 없었습니다. 이유는 영화를 보실 분들을 위해 남겨두겠습니다.

"내 마음이 병드니까 초콜릿도 병든 거야."

후계자 선정을 하지 못하고 상심한 채 초콜릿 공장의 일상으로 돌아온 윌리 웡카의 고백입니다. 그는 초콜릿에 어떤 맛과 모양을 낼지 결정하지 못하는 자신을 발견하며 문제의 원인을 찾다가 깨달음을 얻습니다. 그동안은 초콜릿에 대한 애정을 가지고 마음이 가는대로 초콜릿을 만들어 인기 초콜릿들을 개발했었는데, 후계자 선정이 뜻대로 되지 않자 삶에 대한 의욕도 떨어지고 마음의 병이 생겨 초콜릿 개발에 영향을 미쳤다는 것입니다.

그의 고백에서 다크 슈가즈 코코아 하우스의 차별적 경쟁력과 희망적인 미래를 엿볼 수 있습니다. 남들에게 자랑하고 싶은 시그니처 핫 초콜릿, 개성있는 초콜릿들, 그리고 고객을 초콜릿의 세계에 빠져들게 하는 판매 방식 등이 다크 슈가즈 코코아 하우스를 성장시키는 주요 요인이지만 경쟁자들이 따라하려고 마음 먹으면 모방이 가능한 영역입니다. 그러나 초콜릿에 애정을 가지고 매장 운영 전반에 녹여내는 흥겨움은 쉽사리 베낄 수 없습니다. 그리고 흥이라는 보이지 않는 경쟁력에 다크 슈가즈 코코아 하우스의 미래가 달려 있습니다. 흥부자들이 마음의 병을 얻지 않는 이상, 매장도 좀처럼 병들지 않을 것입니다.

카스 아트

10

미술용품 매장이 미술관에서 멀어지려는 이유
행동으로 이어지는 비전이 진짜다

'붙잡히지 말 것'

스트리트 아티스트들의 암묵적인 룰입니다. 스트리트 아트가 거리를 감각적으로 만들기는 하지만 공공시설을 훼손하는 일이므로 원칙적으로는 불법입니다. 그럼에도 불구하고 법 적용에 있어서는 인심이 후합니다. 그림을 그리는 동안 현장에서 걸리지만 않는다면 사후에 추적해서 처벌하지는 않습니다. 그래서 아티스트들은 20분 내로 작업을 하고 도망칠 수 있는 정도로 작품을 구상해 그들의 예술성을 뽐냅니다. 20분 정도를 경찰관들이 CCTV를 보고 출동하는 데 걸리는 시간으로 보는 것입니다.

시간 제약이 예술 활동을 하는 데 꼭 불리한 것만은 아닙니다. 현장에서 잡히지 않기 위해 표현 방식에 창의성이 더해지고 작품에 시그니처가 생깁니다. 대표적인 스트리트 아티스트는 뱅크시Banksy입니다. 그는 정치적, 사회적 풍자를 담은 그래피티 작품들을 주로 그리는데, 단속에 걸리지 않기 위해 스텐실 기법을 사용합니다. 스텐실 기법은 종이에 글자나 그림 등을 그려

1
스텐실 기법을 사용하는 뱅크시의 작품입니다. 뱅크시가 유명해지자 커버를 씌워 작품을 보존하고 있습니다.

2
교통 표지판에 스티커를 붙이는 클렛 아브라함의 작품입니다. 그의 스트리트 아트 덕분에 표지판에 위트가 생깁니다.

3
표지판의 봉 위에 스트리트 아트를 표현하는 조네시의 작품입니다. 눈여겨 보지 않으면 눈에 띄지 않을 만큼 자연스럽습니다.

4
자기 얼굴을 조소로 복제해 그 위에 그림을 그려 거리 곳곳에 붙이는 그레고스의 작품입니다. CCTV 안내문이 붙어 있는 벽면에 작품을 표현한 대담함이 돋보입니다.

오려낸 후 그 구멍에 스프레이를 뿌려 작품을 완성하는 것입니다. 미리 준비한 종이를 벽에 대고 스프레이만 분사하면 되기 때문에 빠른 시간 내에 작품을 그리고 사라질 수 있습니다.

스트리트 아트에는 그래피티 외에도 다양한 방식이 있습니다. 프랑스 출신의 예술가 클렛 아브라함^{Clet Abraham}은 교통 표지판을 캔버스로 삼고 표지판의 기호들에 스티커를 붙여 스트리트 아트를 표현합니다. 사전에 제작한 스티커를 교통 표지판의 적절한 위치에 붙이기만 하면 되기 때문에 걸릴 가능성이 낮습니다. 교통 표지판이 가진 퉁명스러움과 엄격함을 비판하기 위해 스티커 작품으로 유머와 위트를 더한 것입니다. 규칙과 규율에 인간성을 더하고자 하는 시도에 표지판에 생기가 돕니다.

클렛 아브라함이 표지판을 캔버스 삼았다면 조네시^{Jonesy}는 표지판을 지탱하는 봉에 관심을 가졌습니다. 봉 위에 청동으로 주조한 작품을 접착하여 스트리트 아트를 완성합니다. 그가 봉 위에 주목한 이유도 단속과 관계가 있습니다. 경찰들이 쓴 모자 챙 때문에 상단의 시야가 가려져 있어 작품이 눈에 잘 안 띌 수 있다는 것입니다. 물론 거리를 두고 보면 보이겠지만, 경찰관의 대표적 오브제인 모자 챙을 작품의 스토리에 녹여내 스트리트 아트에 스릴을 더합니다.

단속을 피해야 하지만 현장에서만 걸리지 않으면 괜찮기 때문에 과감하게 얼굴을 드러내는 예술 작가도 있습니다. '벽 위의 내 얼굴^{My face on the walls}'이라는 작품명에서 알 수 있듯이 그레고스^{Gregos}는 다양한 표정의 자기 얼굴을 조소로 복제한 후 그 위

1
테이트 모던 뮤지엄과 세인트 폴 성당 사이를 잇는 밀레니엄 브릿지입니다. 추잉껌 아티스트 벤 윌슨은 이 다리 위를 갤러리로 꾸미려는 계획으로 작품 활동을 펼칩니다.

2·3·4·5
길바닥에 눌러붙은 추잉껌을 예술 작품으로 바꿉니다. 아무도 관심이 없던 다리의 바닥을, 모두를 위한 갤러리로 꾸민다는 아이디어 자체가 예술적입니다.

에 유머코드가 있는 그림을 입혀 거리 곳곳에 붙입니다. 주로 건물의 벽이나 기둥 등 원래 있었을 것만 같은 자리에 골라 붙여서 오히려 없으면 허전할 것 같은 느낌이 듭니다. 때로는 벽면에 설치된 CCTV 옆에 붙이는 과감함을 보이기도 합니다.

보통의 스트리트 아티스트들이 단속을 피하는 방식으로 작업을 한다면, 벤 윌슨Ben Wilson은 작업 과정을 보란듯이 드러냅니다. 그의 캔버스는 길바닥에 눌러붙은 추잉껌입니다. 버려진 추잉껌은 공공시설이 아니라 쓰레기이기 때문에 단속의 대상이 아닙니다. 처벌을 하려면 껌을 뱉은 사람을 찾아야지 버려진 껌 위에 그림을 그리는 그를 처벌할 수는 없다는 판결도 있습니다. 오히려 껌 얼룩으로 지저분해진 거리를 아름답게 하는 효과를 고려하면 상을 줘도 모자랄 판입니다. 법과 예술의 경계에서 윈윈할 수 있는 방법을 찾은 셈입니다. 특히 그는 테이트 모던 뮤지엄Tate Modern Museum으로 이어지는 밀레니엄 브릿지Millenium Bridge를 자신의 갤러리로 만들기 위해 다리 위에 버려진 껌들을 하나하나 작품으로 채색하고 있습니다. 테이트 모던 뮤지엄에 가려는 사람 누구나 건너는 다리지만 아무도 관심이 없던 바닥을, 모두를 위한 갤러리로 꾸민다는 아이디어 자체가 예술적입니다.

스트리트 아트는 갤러리에 갇혀 있던 예술을 거리로 끄집어내 모두가 즐길 수 있도록 했다는 점에서 의미가 있습니다. 스트리트 아트처럼 모두를 위한 예술의 힘은 보기보다 강합니다. 음침한 빈민가였던 쇼디치Shoreditch 지역을 트렌드를 이끄는 곳으로 탈바꿈시켰을 정도입니다. '카스 아트Cass Art'는 이러한 예술의 가치와 잠재력을 일찌감치 알아보고, 동네를 아티스트들로 채우기 위해 거리 곳곳에서 매장을 운영합니다.

도구의 가격을 내릴수록 올라가는 예술의 가치

"이 동네를 아티스트들로 채우자."
(Let's fill this town with artists.)

동네를 아티스트들로 채우고 싶어하는 카스 아트는 미술용품을 판매하는 매장입니다. 아티스트들이 가득한 동네를 만들기 위해 카스 아트는 미술용품의 가격을 파격적으로 낮췄습니다. "모든 아이들은 예술가이고, 문제는 어떻게 그 아이들을 자라서까지 예술가로 유지시키느냐이다."라고 표현한 피카소의 문제의식에 대한 카스 아트 나름의 답입니다. 카스 아트는 그림을 그리고 싶어도 도구가 비싸서 엄두도 못내는 사람들을 위해 가격 문턱을 낮추어 예술 활동을 보다 쉽게 할 수 있도록 돕습니다.

카스 아트 매장에 들어서면 알록달록한 색감의 미술용품만큼이나 가격표가 눈에 들어옵니다. 미술용품의 종류와 브랜드에 따라 10~60%까지 가격을 할인해줍니다. 가격 할인으로는 만족하지 못할 고객들을 위해 '최저 가격 보장Guaranteed lowest prices' 태그를 덧붙입니다. 여기에다가 최저 가격 보장이라는 표시로도 부족해 '카스 아트 특별 가격Cass Art exclusive'이라는 태그까지 붙은 제품들도 심심치 않게 발견할 수 있습니다. 영국의 전통있는 물감 브랜드 윈저 앤 뉴튼^{Winsor & Newton}, 독일의 대표적 문구 브랜드 스테들러^{Staedtler} 등과 제휴해 카스 아트 고객만을 위한 특별 가격으로 판매하는 것입니다.

최저 가격 보장이나 특별 가격 표시가 없다면 카스 아트에서 자체 제작한 상품일 가능성이 높습니다. 자체 제작한 제품들의 가격은 상대적으로 더 저렴합니다. 가격표만 놓고 보면 유명 브랜드들의 할인된 가격들과 엇비슷하지만, 제품 용량이 보통 2배 정도이기 때문에 단위 용량당 가격은 절반 수준인 셈입니다. 가격만으로도 충분히 돋보일 만한데 제품 패키지까지도 절제된 디자인을 뽐내고 있어서 고객들의 구매 욕구를 자극합니다.

여기서 그치지 않습니다. 멤버십에 가입하면 이미 할인된 가격에 추가 할인 혜택을 제공합니다. 멤버십 카드를 온라인에 등록한 이후 첫 구매를 할 때 10%를 할인해주고, 그 다음부터는 100파운드(약 15만 원) 구매 당 10파운드(약 1만 5,000원)를 현금으로 캐시백합니다. 한 번에 100파운드 어치를 사지 않아도 괜찮습니다. 누적 금액에 따른 보상을 해주는 것이기 때문에 2달 내에만 이용하면 혜택을 받을 수 있습니다. 복잡해 보이지만 고객을 배려한 보상 방식입니다. 예술을 지속적으로 할 수 있을지 판단이 안 서는 초보자들에게는 부담없는 시도를 하면서도 혜택을 받을 수 있게 일회성으로 10% 할인해주고, 예술을 꾸준히 즐기려는 동네의 아티스트들에게는 누적 금액에 따른 혜택을 제공해 예술 활동을 계속해서 할 수 있도록 장려하는 것입니다.

이쯤되면 자선 사업이 아닌가하는 의문이 들 정도로, 카스

1
카스 아트 이즐링턴점 매장 전경입니다. 3개
의 층으로 구성된 700m² 규모의 플래그십 매
장입니다.

2
카스 아트 이즐링턴점 1층은 물감, 붓, 연필, 잉크, 파스텔 등 그리는 도구 중심으로 구성되어 있습니다.

3
카스 아트 이즐링턴점 2층은 캔버스, 스케치북, 종이 등 그림의 판 역할을 하는 제품들로 구성되어 있습니다.

1·2
윈저 앤 뉴튼, 스테들러 등의 브랜드 제품
을 카스 아트 특별 가격으로 판매합니다.
최저 가격 보장은 기본입니다.

3
아크릴 물감의 경우, 카스 아트 자체 제작
제품의 용량이 '달러 로우니 시스템 3' 브
랜드 제품 대비 2배 큰데 판매가는 동일합
니다.

4
카스 아트 자체 제작 제품은 가격이 저렴하
면서도 제품 패키지 디자인이 감각적이어
서 구매 욕구를 자극합니다.

아트는 예술이 부자들의 전유물이 아니라는 것을 증명하기 위해 미술용품을 낮은 가격으로 제공하는 데 집중합니다. 하지만 가격을 낮춘다고 해서 동네 사람들이 아이였을 때의 예술가적 감각을 되찾을 수는 없습니다. 그래서 카스 아트는 동네를 아티스트들로 채우기 위해 더 큰 그림을 그립니다.

#1. 다가가는 만큼 가까워지는 동네의 아티스트들

카스 아트의 첫 매장은 1984년에 채링 크로스Charing Cross 지역에 오픈했습니다. 윈스턴 처칠Winston Churchill이나 클로드 모네Claude Monet와 같은 저명 인사들이 주요 고객이었고 100년 가까이 운영해 인지도가 있던 미술용품 매장 자리에 카스 아트의 이름을 걸고 영업을 시작한 것입니다. 원래부터 미술용품을 판매하던 곳이었고, 내셔널 갤러리National Gallery 바로 뒤에 위치했기 때문에 고객은 많았습니다. 하지만 창업자 마크 카스Mark Cass는 이미 예술을 하던 제한적인 고객들에게만 제품과 서비스를 제공하는 것이 아쉬웠습니다. 그는 예술에 관심이 없는 사람들을 예술의 세계로 초대하고 싶었습니다. 그래서 예술가들만이 모이는 지역이 아닌 장소에 매장을 열기로 마음을 먹습니다.

마크 카스는 17년 만에 두 번째 매장을 오픈하면서 대중에게 더 가깝게 다가가기 위해 펜타그램Pentagram이라는 디자인 컨설팅 회사와 머리를 맞대고 리브랜딩을 시도합니다. 리브랜딩의 핵심은 예술의 대중화였습니다. 이를 위해 매장의 인테리어를 고객들이 편하게 들어올 수 있도록 리모델링해 미술용품 매장의 문턱을 낮췄습니다. 조명과 텍스트 등을 모던하면서도 캐주얼하게 바꿔 미술용품을 파는 가게라기보다 색감이 살아있는 사탕 가게와 같은 분위기로 연출한 것입니다. 로고도 스텐실 형식으로 변경해 감각을 더했습니다. 또한 이 때 '이 동네를 아티스트들로 채우자'라는 미션과 이에 따른 6가지 선언문을 작성해 리브랜딩의 구심점을 만들었습니다.

2001년에 고급 주택가인 켄싱턴Kensington 지역에 오픈한 2호점부터 리브랜딩 컨셉을 적용하기 시작해, 2003년에는 런던의 대표적인 번화가인 소호Soho에 3호점을 열었습니다. 2004년에는 본점인 채링 크로스 매장도 리브랜딩 컨셉에 맞게 새단장했습니다. 그 후 2006년에는 떠오르는 번화가인 이즐링턴Islington에 700m² 규모의 3층짜리 플래그십 매장을 오픈했습니다. 예술가들이 모여 있던 곳에서 벗어나 모두에게 다가갈 수 있는 동네로 매장을 늘려나간 셈입니다.

그뿐만 아니라 2010년부터는 햄스테드Hampstead와 킹스턴Kingston 등 런던 외곽으로 거점을 확대합니다. 런던과 그 주변 지역만으로는 충분하지 않아 2013년부터는 런던 외 지역으로 뻗어나가며, 스코틀랜드의 글라스고, 잉글랜드의 브리스톨, 리버풀, 브라이턴, 버밍엄, 맨체스터 등에도 매장을 런칭합니다. 동네에서 시작해 영국 전역을 아티스트로 채우겠다는 포석이 담겨있는 매장 전개입니다. 또한 동네를 아티스트로 채우기 위해선 지역마다 거점이 있어야 한다고 판단했기에 가능한 일입니다.

#2. 설명하는 만큼 늘어나는 동네의 아티스트

미술용품 매장을 오픈한다고 해서 동네가 아티스트들로 채워지는 것은 아닙니다. 문턱을 낮춰 누구나 쉽게 들어올 수 있게 해도 형형색색으로 펼쳐져 있는 미술용품 앞에서 초보자들은 여전히 어려워합니다. 예술에 문외한 이들을 예술에 관심을 갖게 만들기 위해서는 초보자들에게 작품을 만드는 도구에 대해 상세하게 설명해줄 전문가가 필요합니다.

그래서 카스 아트는 약 200여 명의 모든 스태프들을 예술가로 구성했습니다. 호칭만 예술가가 아니라 실제로 예술 활동을 하며, 미술 도구를 능수능란하게 사용하는 사람들입니다. 제품 가격을 낮추려고 안간힘을 쓰는 카스 아트이지만 직원만큼은 비용 절감의 대상으로 생각하지 않고 핵심역량으로 여깁니다. 고객들이 제품에 대해 잘 모를 경우, 스태프들에게 문의를 하면 제품의 특징, 브랜드 간 차이, 사용 방법 등을 자세히 알려줍니다. 제품 문의를 했을 때 위치를 찾아주는 단순한 역할과는 다릅니다.

특히 카스 아트의 플래그십 매장인 이즐링턴 매장에서는 예술가인 직원들이 제품의 특징을 더 잘 이해할 수 있도록 시연을 진행합니다. 매번 똑같은 시연을 하는 것이 아니라 다양한 종류의 미술과 제품을 선보이기 위해 장르를 요일별로 다르게 구성합니다. 월요일은 데생, 화요일은 유화, 수요일은 수채화, 목요일은 아크릴화, 금요일은 공예 등 주요 장르를 여러 브랜드 제

1
예술가인 직원들이 그림을 직접
그려서 보여주며 제품별 특징을
설명합니다.

2·3
지하층에는 지역 아티스트들이
전시와 워크숍을 할 수 있는 공간
이 있고, 2층의 한쪽 벽면에는 지
역 아티스트들의 소식과 이벤트
를 알리는 게시판이 있습니다. 지
역 아티스트의 활동을 장려하기
위함입니다.

품들로 직접 그려서 보여주는 식입니다. 주말인 토요일에는 그 날의 직원이 선호하는 장르로, 일요일에는 새로 나온 제품을 소 개하는 쇼케이스 등으로 변주를 주며 시연 프로그램을 다채롭 게 꾸밉니다.

또한 카스 아트는 자체적으로 전시회를 개최하여 스태프 들의 역량을 보여주는 장을 마련하기도 합니다. 2015년에는 '비전'을 주제로, 2016년에는 '보통의 물건들'을 주제로 회화, 데 생, 조소 등 여러 장르의 작품들을 소개하는 전시를 했습니다. 카스 아트의 전시회는 스태프들에게 작품 활동을 펼칠 수 있는 무대를 만들어 줘 동기를 부여할 뿐만 아니라 고객들에게 스태 프들의 전문성을 알려 카스 아트 매장의 차별적 경쟁력을 보여 줄 수 있는 기회입니다. 스태프들을 말로만 예술가라고 소개하 는 것과 작품을 전시해 증명하는 것의 간극은 효과적인 측면에 서 차이가 큽니다.

#3. 키워내는 만큼 보존되는 동네의 아티스트

피카소는 모든 아이들은 예술가라고 말하며, 문제는 아이들이 자라서까지 예술가적 기질을 유지할 수 있도록 하는 것이라고 덧붙입니다. 카스 아트도 피카소의 통찰력에 공감합니다. 그래 서 예술성을 품고 사는 아이들이 예술을 계속해서 즐길 수 있도 록 아낌없는 투자를 합니다. 전체 매출에서 학생들이 차지하는 비중은 25% 수준이지만, 카스 아트가 학생들에게 영감과 조언

1·2·3·4
아이들 눈높이에 맞춘 워크숍을 진행하고, 아이들에게 적합한 제품을 판매하는 등 아이들이 예술에 더 흥미를 느낄 수 있도록 키즈 섹션을 지하층에 별도로 구성했습니다.

을 주고 최고의 제품을 합리적 가격으로 제공해 젊은 예술가들의 성장을 돕는다면 그들이 성공하여 다시 카스 아트를 찾고 예술 산업의 기반을 키울 수 있다고 생각하는 것입니다.

학생들에 대한 투자는 가격 할인과 교육 후원 등으로 이뤄집니다. 학생들은 '코발트 블루 카드Cobalt blue card'라는 멤버십 카드를 발급받아 추가로 10% 할인을 받을 수 있습니다. 일반 멤버십 카드는 중복 할인이 안되는 등 일부 제약이 있는 반면 학생 멤버십 카드는 특별 세일, 창고 정리 등의 제품들까지도 할인해주는 등 제약 조건이 없습니다. 또한 매년 학생의 날Student day을 열어 학생들을 초청합니다. 이날은 모든 제품을 추가로 20% 할인해주고, 25파운드(약 3만 8,000원) 이상 구매하면 30파운드(약 4만 5,000원)에 해당하는 제품들을 럭키 박스 형태로 제공하며, 유명 예술가를 초빙해 워크숍도 진행합니다. 게다가 젊은이들의 영감을 자극하기 위해 '내셔널 아트 앤 디자인 토요일 클럽National art & design Saturday club'을 무료로 운영하는 재단인 소렐 파운데이션Sorrel foundation을 후원하는 등 학생들이 예술과 가깝게 지낼 수 있도록 앞장섭니다.

학생들보다 예술적 감수성이 더욱 풍부한 아이들이 예술에 더 재미를 느낄 수 있도록 키즈 섹션에도 신경을 씁니다. 이즐링턴 지점의 지하에는 키즈 섹션이 별도로 마련되어 있어 아이들에게 적합한 소재, 크기, 용도로 된 제품을 판매합니다. 그리고 판매 공간의 한켠에서는 일요일마다 워크숍을 엽니다. 1주차에는 색칠, 2주차에는 데생, 3주차에는 판화, 4주차에는 공예 등

매주 장르를 달리 구성해 프로그램을 운영합니다. 또한 매주 목요일에는 방문 수업Home educated classes과 방과후 수업After school class-es 등의 교육 서비스를 제공하며 아이들의 미술 교육에 대한 적극적인 활동을 펼칩니다.

　　교육을 통해 예술성을 고양시키려는 카스 아트의 노력은 아이들에 그치는 것이 아니라 전방위적입니다. 일반 멤버십 카드, 학생 전용의 코발트 블루 카드와 별개로 미술이나 디자인 분야의 대학교 교수 또는 강사, 그리고 미술 치료사들만 가입할 수 있는 '비리디안 카드Viridian card'를 멤버십으로 운영합니다. 10% 할인해 주는 것은 기본이고, 유명 브랜드에서 출시하는 신제품들을 테스트 해볼 수 있는 혜택을 제공하며, 비리디안 카드로 결제하는 금액의 5%를 소렐 파운데이션에 기부하고 있습니다. 교육 대상자들을 위한 혜택뿐만 아니라 교육 서비스를 제공하는 직업인들도 살뜰하게 챙기는 것입니다. 또한, 헤비 유저인 교육자들이 미술용품 구매에 사용한 금액의 일정 부분을 교육 대상자에게 재투자해 선순환 구조를 만드는 것이기도 합니다.

카스 아트가 그리는 그림이 진짜인 이유

유동 인구가 넘쳐나는 런던의 내셔널 갤러리National Gallery 앞에는 또 다른 유형의 거리의 예술가들이 있습니다. 이들은 스트리트 아티스트와 달리 생계를 꾸리기 위해 거리에서 예술을 합니다. 거리에서 예술을 보여주고 행인들의 기부를 받는 방식으로 돈을 법니다. 행인들의 시선을 붙잡고 마음을 사로잡아야 돈을 벌 수 있다는 것을 알기에 내셔널 갤러리 앞 거리의 예술가들은 다양한 방법으로 자기 표현을 합니다.

공중 부양이나 캐릭터 분장 등 흔한 방식의 예술가들도 있지만, 타깃을 고려해 전략적으로 접근하는 예술가들도 있습니다. 어떤 예술가는 바닥에 분필로 다양한 국기를 그려 국기 위에 기부를 받습니다. 내셔널 갤러리의 특성상 외국 관광객들이 많이 오는데 국기 위에 놓여있는 돈의 양으로 경쟁을 부쳐 관광객들의 애국심을 자극하는 것입니다. 또한 내셔널 갤러리에 오는 고객들이 지적인 콘텐츠에 관심이 있다는 것을 아는 어떤 예술가는 길바닥에 감각적인 글씨체와 감동적인 문장으로 시를 씁니다. 글로 행인들의 발길을 오랜시간 붙잡아두며, 마지막에 "이 일로 생계를 꾸리니 기부를 해주시면 내일도 예술을 나눌 수 있습니다."는 문구로 호소해 행인들이 주머니에서 돈을 꺼내게끔 합니다. 다른 아티스트는 아이들이 큰손이라고 판단해 거대한 비눗방울을 뭉게뭉게 만들어 동심을 유혹합니다. 아이들은 그에 화답하듯 비눗방울을 더 보기 위해 부모들을 졸라 예술가의 돈 바구니에 신나는 표정으로 돈을 넣습니다.

이런 풍경이 펼쳐지는 내셔널 갤러리 앞마당에서 고개를 돌리면 트라팔가 광장Trafalgar Square이 보입니다. 넬슨Nelson 제독 동상이 트라팔가 광장의 중심을 잡고 있고, 장군에 시선을 빼앗겨 놓칠 수 있지만 4개의 조형물이 광장의 각을 잡고 있습니다. 그중 하나의 조형물은 해마다 바뀝니다. 런던시가 '4번째 기둥

1·2·3·4
거리의 예술가들도 행인들의 시선을 붙잡고
후원을 받기 위해 자기만의 방식으로 차별화
를 고민합니다.

어워드Fourth plinth award'를 열어 매년 조각 작품을 선정해 전시하기 때문입니다. 런더너뿐만 아니라 전 세계 관광객들이 찾는 내셔널 갤러리 앞에서 전시를 하는 것이기에 예술가들에게는 영광스런 기회입니다.

카스 아트는 이 이벤트에 영감을 받아 학생들의 꿈을 키워주기 위해 런던시와 제휴하여 '4번째 기둥 스쿨 어워드Fourth plinth schools award'를 운영합니다. 학생들을 대상으로 한 모의 어워드 형식이긴 하지만 매년 3,500개 이상의 작품들이 경쟁할 만큼 인기입니다. 출품한 작품들 중에서 우수 작품들을 선정해 런던 시청에 6주 동안 전시합니다. 수상작들을 대중이 모이는 곳에 전시해 학생들의 예술성을 알리면서 그들의 예술 활동을 장려하는 것입니다.

학생들에게 모의의 방식으로라도 기회를 제공하며 카스 아트가 꿈꾸는 세상을 그려나가는 붓놀림에, 어쩌면 카스 아트의 바람처럼 온 동네가 아티스트들로 가득 채워질지도 모를 일입니다.

조 러브스

몸으로 맡는 향기를 만드는 향수 가게
세상에 없던 아이디어는 열정에서 나온다

11

"예술적 성공과 상업적 성공, 무엇이 더 중요한가요?"

어느 기자가 영국의 조명 디자이너 톰 딕슨Tom Dixon에게 물었습니다. 그의 대답은 무엇이었을까요?

"둘 다 아닙니다. 저는 취미가 직업이고, 직업이 취미입니다. 제가 취미로 만든 물건을 고객들이 돈을 주고 사서 즐깁니다. 이 자체가 제게는 동기 부여입니다. 사람들이 제가 만든 작품을 사줄 때 디자인에 대한 저의 즐거움이 합리화됩니다. 저처럼 마음껏 즐기면서 돈도 벌 수 있는 경우는 꽤 드문 일일 것입니다."

직업의 의미에 대해 다시 한 번 생각해 보게 하는 대답입니다. 그의 말처럼 취미가 직업이고 직업이 취미인 경우가 드물기는 하지만, 불가능한 일도 아닙니다. 톰 딕슨 외에도 유럽의 크리에이티브 허브로 불리는 런던에는 자신이 좋아하는 일을 업으로 삼아 비즈니스로 발전시킨 다양한 사례들이 있습니다. 클래식한 남성복에 위트를 더한 폴 스미스^{Paul Smith}, 영국 시골 가정집의 정원을 연상시키는 프린트가 특징인 캐스 키드슨^{Cath Kidston}, 현대적인 플라워 디자인의 서막을 연 제인 패커^{Jane Packer} 등이 각 분야에서 독보적인 존재감을 드러냅니다. 이런 브랜드들은 대부분 창업자의 이름과 브랜드 이름이 같습니다. 비즈니스를 자기 자신과 동일시 한다는 뜻입니다.

향수 브랜드인 '조 말론 런던^{Jo Malone London}'도 창업자 조 말론의 이름을 따서 만들었습니다. 하지만 조 말론은 자신의 분신과도 같았던 브랜드 조 말론 런던을 전략적 판단 하에 글로벌 화장품 그룹인 에스티 로더^{Estée Lauder}에 매각하고 크리에이티브 디렉터로 일하다 건강상 문제가 생겨 경영에서 손을 뗍니다. 돈을 벌만큼 벌었을테니 편안하게 즐기며 살 법도 한데, 조 말론은 좋아했던 일인 조향에 대한 애정을 잊지 못하고 다시 한 번 '조 러브스^{Jo Loves}'라는 브랜드를 만들어 향수 업계로 돌아옵니다.

'향수계의 에르메스^{Hermès}'라 불리는 브랜드를 탄생시킨 장본인이지만, 조 말론은 원래 향수에 대한 정규 교육을 받지 못했던 피부 관리사였습니다. 피부 관리에 필요한 화장품을 제조하는 과정에서 조향에 대한 자신의 재능과 열정을 발견하고, 좋아하는 일을 직업으로 삼아야 한다는 믿음으로 향수 산업에 과감히 발을 들였습니다. 물론 조향을 좋아하고 잘한다고 해서 비즈니스가 궤도에 오르는 것은 아닙니다. 조향에 대한 감각만큼이나 비즈니스에 대한 감각이 탁월해야 합니다. 그녀는 전통의 강호들이 지배하던 시장에서 어떻게 열정 하나로 시작해 새로운 영역을 개척할 수 있었을까요? 그녀는 향수에 대한 교육뿐 아니라 비즈니스에 대한 제대로 된 교육도 받지 못했지만, 그녀가 일구어낸 비즈니스의 향기 역시 향수만큼이나 감각적입니다.

#1. 고객의 향기는 기회를 남긴다

그녀는 피부관리사인 어머니 밑에서 일하다 런던으로 거처를 옮겨 25세 때 독립했습니다. 변변한 공간도 없었지만 어머니 가게에서 알게 된 12명의 고객들의 집에서 피부 관리를 해주는 것으로 사업을 시작했습니다. 그녀는 12명의 고객들을 고객이라고 생각하지 않고 비즈니스를 함께 성장시킬 팀으로 여겼습니다. 그들의 만족으로부터 나오는 입소문이 가장 정직하면서도 효과적인 마케팅이라는 것을 알고 있었기 때문입니다. 특히 피부 관리나 향수같이 사적인 소비일수록 친한 친구의 추천이 힘을 발휘합니다. 그래서 조 말론은 사업의 출발점이었던 12명의 고객들을 '창립 고객Founding clients'이자 '마케팅 팀'으로 부릅니다. 초기 고객들이 회사를 일으킨 창립 멤버와 상응하는 역할을 했다는 뜻입니다.

　12명의 고객에서 시작된 입소문은 원심력이 생겨 빠른 속도로 확산됐고, 그녀가 만든 화장품의 인기가 날이 갈수록 높아졌습니다. 여기에다가 그녀는 고객들이 화장품을 구매하면 배스 오일을 선물했는데, 이 선물의 반응 또한 기대 이상이었습니다. 제품은 물론 선물도 남다르니 고객들의 주문이 쏟아져 들어왔습니다. 혼자서는 감당하기 벅찰 정도의 수요가 생기자 사업을 시작한 지 5년 만에 조 말론의 이름을 내건 첫 번째 향수 가게를 열었습니다. 개점 이후 1년도 안 된 시점에 5년치 목표 매출을 달성할 정도로 조 말론 향수의 인기는 뜨거웠습니다. 샤넬Chanel, 디올Dior, 이브 생 로랑Yves Saint Laurent 등 기라성 같은 브랜드들이 장악하고 있던 향수 시장에서 이례적인 성장세였습니다. 고객을 이해하고 대하는 방식이 달랐기에 가능한 일입니다.

또한 고객들을 마케터로 바라보니, 제품을 개발하는 프로세스도 달라졌습니다. 기존의 향수 브랜드들은 평가사Evaluator와 상담하고, 평가사가 향수 제조사Perfumer에게 전반적인 컨셉을 전달해 향수를 제조했습니다. 조 말론은 이러한 업계의 관행이 근본적인 문제라고 봤습니다. 향수 브랜드와 향수 제조사가 직접 소통하지 않기 때문에 섬세한 향수를 만들어내지 못하고, 향기로 고객들을 만족시킬 수 없으니 향수에 매력적인 이미지를 덧씌워 판매한다고 생각했습니다. 마케팅으로 고객들을 현혹시키는 것이 아니라 고객들을 마케터로 참여시키기 위해서는 향수의 이미지가 아니라 향기가 고객들의 마음에 들어야 합니다. 그래서 그녀는 향기가 매력적인 향수를 개발하기 위해 평가사를 거치지 않고 직접 향수 제조사와 협업하는 방식을 택했습니다. 조향에 대한 직관적인 판단뿐만 아니라 고객에 대한 감각적인 이해가 만들어낸 변화입니다.

만약 조 말론이 고객과의 관계를 통해 이익만을 남기고, 기회를 남기는 방법을 알지 못했다면 조 말론 런던의 괄목할 만한 성장은 없었을지도 모를 일입니다.

#2. 파트너의 향기는 확산을 돕는다

'오프라히제이션Oprahization'. 오프라 윈프리Oprah Winfrey가 다루면 사회적 파장을 몰고 온다는 뜻의 신조어입니다. '신드롬', '사회 현상'이라는 말이 붙을 정도로 '오프라 윈프리 쇼'는 1980~1990 년대에 미국 전역을 휩쓸었던 토크쇼입니다. 1996년, 조 말론도 오프라 윈프리 쇼로부터 러브콜을 받습니다. 집에서 시작한 작은 사업으로 큰 성공을 거둔 사람들의 이야기를 다룬 '밀리언 달러 비즈니스Million Dollar Businesses' 코너에 출연 제의를 받은 것입니다. 조 말론 런던은 오프라 윈프리 쇼 출연을 계기로 미국에 처음으로 알려졌고, 그 이후 미국 단체 여행객들이 물밀듯이 런던 매장을 방문하며 매출이 급등하기 시작합니다. 조 말론은 미국 시장의 크기와 위력을 실감하며, 미국 진출을 본격화하고 비즈니스 파트너를 물색합니다.

조 말론은 1998년에 미국으로 진출할 당시, 최적의 비즈니스 파트너를 알아보는 혜안이 있었습니다. 여러 곳에서 러브콜을 받았지만 조 말론은 미국 상류층들이 가장 선호하는 백화점인 버그도프 굿먼Bergdorf Goodman에 입점합니다. 버그도프 굿먼은 단순히 럭셔리 브랜드로 구성된 백화점이 아니라, 브랜드를 데뷔시키는 공간이었습니다. 도나 캐런Donna Karan, 조르지오

아르마니^{Giorgio Armani}, 마이클 코어스^{Michael Kors} 등 수많은 럭셔리 브랜드들도 이 백화점을 통해 뉴욕에 알려졌습니다. 입점을 제안했던 백화점들 중에는 규모가 더 크고 계약 조건이 더 나은 곳들도 있었지만, 조 말론은 버그도프 굿먼이 최적의 데뷔 무대인 것을 직감하고 이 백화점의 제안을 받아들입니다.

버그도프 굿먼을 통해 미국 시장에 성공적으로 연착륙한 조 말론에게는 해결해야 하는 과제가 하나 더 있었습니다. 런던과 달리, '창립 고객'이 존재하지 않는 뉴욕에서는 또 다른 구심점이 필요했습니다. 그래서 조 말론은 마케팅 파트너로 유명 인사들과 미디어를 적극적으로 활용합니다. 매장 오픈 전, 조 말론은 뉴욕의 모델, 가수, 기업가, 정치인 등 50명의 유명 인사들에게 집들이나 생일 선물로 활용해 달라며 10~20개의 제품을 무료로 배포합니다. 혼자 사용하기에는 많은 양의 조 말론 런던 제품을 선물 받은 유명 인사들은 자연스럽게 남은 제품들을 주변 지인들에게 소개하며 선물합니다. 선물이 선물이 되는 선순환을 통해 뉴욕 사교계에 퍼지기 시작한 조 말론 런던은 기자 회견을 통해 또 한 번의 주목을 받습니다. 조 말론은 전형적인 기자 회견 대신, 5성급 호텔의 스위트룸에서 제품에 대한 설명과 더불어 피부 관리 서비스를 직접 시현했습니다. 조 말론 런던을 경험한 유명 인사들과 기자들은 영향력 있는 입소문을 만들어 냈고, 조 말론 런던은 미국에 진출한지 반년도 채 되지 않아 100만 달러(약 11억 원) 매출을 기록하게 됩니다.

조 말론은 미국을 시작으로 글로벌 시장 진출을 계획합니다. 글로벌 시장은 하나의 국가보다 상위 스케일의 시장이기에 파트너도, 방법도 달라야 했습니다. 미국 시장까지는 성공적으로 진출했지만, 글로벌 시장은 조 말론 혼자 진출하기에는 무리가 있었습니다. 이 때 거물급 파트너인 에스티 로더가 손을 내밉니다. 당시 에스티 로더는 바비 브라운Bobbi Brown, 아베다AVEDA, 라 메르LA MER 등의 브랜드를 인수해 60개 이상의 국가에서 글로벌 브랜드로 키워낸 코스메틱 그룹이었습니다. 에스티 로더가 인수한 브랜드들은 인수 후에도 여전히 고유한 독창성을 지키고 있었고, 조 말론도 매각을 위한 실사를 통해 에스티 로더에 대한 확신을 굳힙니다. 인수 금액 등의 조건도 중요했지만, 무엇보다 브랜드의 정체성을 유지할 수 있겠다는 판단이 든 것입니다. 1999년, 조 말론은 자신이 크리에이티브에 있어 통제권을 가지며, 기존의 직원들을 모두 고용한다는 조건으로 조 말론 런던을 에스티 로더에 매각합니다. 파트너를 알아보는 창업자의 감각적인 판단력 덕분에 런던의 한 골목에서 시작한 작은 브랜드는 전 세계 50여 개 국가에서 만날 수 있는 글로벌 브랜드로 성장합니다.

#3. 자기 자신의 향기는 사라지지 않는다

조 말론이 없는 조 말론 런던. 조 말론 런던을 에스티 로더에 매각한 후 7년 만의 이야기입니다. 조 말론 런던에서 크리에이티브 디렉터로 활약하던 조 말론은 갑작스럽게 유방암을 진단받습니다. 암 치료를 위해 공백기를 가진 후, 회사에 복귀했을 때에는 많은 것들이 변해 있었습니다. 사업은 이미 확장될 대로 확장되어 있었고, 조 말론은 더 이상 자신이 원하는 일을 조 말론 런던에서 지속할 수 없다고 판단합니다. 돈이 아닌 꿈을 좇아 에스티 로더에 회사를 매각했던 조 말론은 결국 조 말론 런던을 떠나게 됩니다. 매각할 때의 계약에 따라 조 말론은 향후 5년간 동종 업계에서 활동할 수도, '조 말론'이라는 명칭을 상업적으로 사용할 수도 없게 되었습니다. 자신의 이름이자 브랜드였던 조 말론 런던을 완전히 품에서 떠나 보낸 것입니다.

조 말론은 조 말론 런던이라는 브랜드는 매각했지만, 자신의 열정은 매각하지 않았습니다. 여전히 조 말론 안에는 조향에 대한 갈망과 영감이 꿈틀대고 있었습니다. 조 말론은 조향이 자신에게 비즈니스가 아닌 존재의 이유임을 깨닫고, 재기를 위한 초석을 닦습니다. 먼저 조 말론은 자신이 원점에서 시작하는 초심자라는 마음가짐으로 시장을 냉철하게 바라봅니다. 자신이 조 말론 런던을 처음 런칭했던 때와 달리, 틈새 취향을 공략하는 향수 브랜드들이 많이 생겼고 고객들은 향수에 대한 정보를 더 쉽게 얻을 수 있게 되었습니다. 이런 상황 속에서 조 말론은 취향이나 기준에 따라 호불호가 갈리는 향수가 아닌, 기호와 시대를 관통하는 향수를 만들기로 결심합니다. 자신의 후각과 영감을 토대로 미래의 단서를 찾아가던 조 말론은 5년의 경업 금지기간이 끝난 2011년, 두 번째 브랜드 '조 러브스Jo Loves'를 런칭합니다.

런던 첼시Chelsea에 위치한 조 러브스의 매장은 향수 명인의 부활을 알리듯, 조 말론의 영감과 창의력이 응집되어 있습니다. 우선 매장 구성이 다릅니다. 조 말론은 조 러브스의 매장을 오픈 하면서 단순히 향수를 구매하는 공간을 넘어, 향수를 경험하는 공간을 만들고자 했습니다. 그녀는 사람들이 브래서리Brasserie* 에서 다양한 단품 요리를 부담없이 즐기 듯, 다양한 향기를 경험 할 수 있는 '향기 브래서리Fragrance brasserie'라는 컨셉을 업계 최초 로 기획합니다. 향기 브래서리의 운영 방식은 뉴욕 포시즌스 호 텔Four Seasons Hotel New York의 바와 런던 해러즈Harrods 백화점의 타 파스 바에서 영감을 받았습니다. 가게 내부에 조 말론의 J를 본 뜬 커다란 바를 만들어 이 곳에서 향수를 칵테일 셰이커, 마티니 잔 등에 담아 제공합니다. 그리고 타파스 스타일로 배스 콜로뉴, 샤워 젤, 바디 크림 등을 코스로 제공하며, 간단한 팔과 손 마사 지로 마무리 합니다. 향수를 경험하는 방식을 바꾼 것입니다.

향기 브래서리에서 향을 경험하는 방식은 특별하기는 하지 만, 일상적이지 않은 아쉬움이 있습니다. 이를 보완하듯 조 러브 스는 제품 개발을 할 때도 향수를 경험하는 방식을 바꾸기 위한 시도들을 합니다. 대표적인 제품이 '향기 페인트브러쉬Fragrance Paintbrush'입니다. 향기 페인트브러쉬는 젤 타입의 향수로 기존 의 향수처럼 스프레이로 뿌리는 방식이 아니라 붓터치로 바르 는 방식입니다. 향을 입는 방식이 다른 것은 물론 젤 타입이라 향이 더 오래 지속되는 장점이 있습니다. 게다가 붓처럼 얇은 형

• **브래서리**
간단한 단품 요리를 제공하는 캐주얼한 분위기의 프랑스풍 식당입니다.

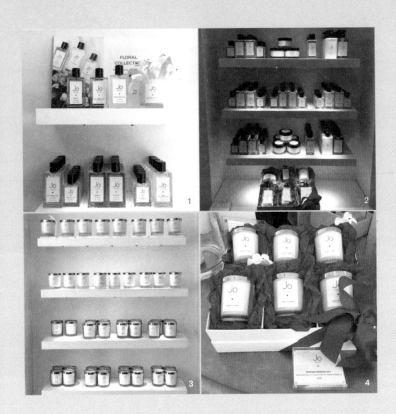

1 · 2 · 3 · 4
조 러브스에서는 향수, 향초 등 조 말론의 코
끝에서 탄생한 향기 제품들을 판매합니다.

1·2·3
J 모양의 바에서 제공하는 '향기 타파스 메뉴'
를 통해 다양한 향기 제품들을 코스 요리처럼
경험할 수 있습니다.

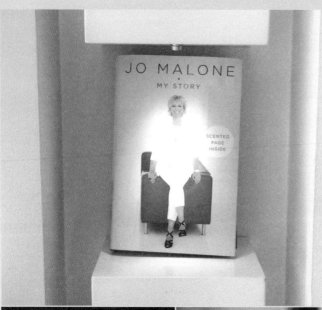

1
《Jo Malone: My Story》는 책의 페이지에 향수를 뿌려 놓아, 자서전에 담겨 있는 그녀의 성공의 향기가 코끝에 전해집니다.

2·3
조 러브스에서 출시한 향기 페인트브러쉬와 향기 그래피티는 향수를 경험하는 새로운 방식을 제안합니다. ⓒJo Loves

태여서 휴대하기도 편리합니다. 향을 경험하는 방식을 바꾼 향기 페인트브러쉬는 조 러브스에서 트레이드마크를 등록한 혁신적인 제품입니다. 그뿐 아니라 조 러브스는 '향기 그래피티Fragrance Graffiti'도 출시했습니다. 향기 그래피티는 몸에 뿌리는 향수로 그래피티를 할 때 사용하는 스프레이에서 영감을 받아 개발했습니다. 그래피티 스프레이처럼 스프레이를 흔들면 볼이 굴러가는 소리가 들리고, 고객들은 그래피티 아티스트들이 예술적으로 스프레이를 뿌리는 것같이 각자의 몸에 향수를 자유롭게 뿌릴 수 있습니다. 향을 경험하는 방식을 더 재미있게 만들어 주는 제품입니다.

이처럼 조 러브스는 조 말론의 영감과 창의력이 더해져 향수를 경험하는 새로운 방식을 제안하는 매장이며, 이름 그대로 조 말론이 사랑하는 것들의 집합체입니다.

우연한 향기가 미래의 방향을 바꾼다

'계획된 우연'

진로상담 분야의 최고 권위자이자 스탠퍼드 대학교Stanford University의 심리학 교수인 존 크럼볼츠John Krumboltz의 '계획된 우발성 이론Planned Happenstance Theory'에 등장하는 개념입니다. 한 사람의 진로발달 과정에서 예상하지 못한 사건들이 일어날 수밖에 없고, 이런 우연들은 그 사람의 진로에 긍정적 또는 부정적으로 작용합니다. 그중에서도 긍정적으로 작용한 우연이 '계획된 우연'이며, 우연히 일어난 사건들을 자신의 진로에 유리하게 만들어 가는 능력은 개인의 노력에 달려 있다고 말합니다. 우리가 흔히 '운'이라고 치부하는 것들이 실제로는 노력의 결과라는 뜻입니다.

조 말론의 성공은 계획된 우연입니다. 크고 작은 일화들을 통해 조 말론이 자신에게 우연히 다가온 영감이나 기회를 놓치지 않으려 늘 노력했다는 것을 알 수 있습니다. 조 말론은 언제 어딜가든 조향 키트를 챙겨 다니며 후각의 감을 유지했습니다. 가족들과 함께 패롯 케이^{Parrot Cay}로 떠난 휴가에도 역시 조향 키트를 가져갔고, 덕분에 패롯 케이의 자연에서 받은 영감은 조 러브스의 첫 번째 향수이자 베스트셀러인 '포멜로^{Pomelo}'의 탄생으로 이어집니다. 휴가에서조차 조향에 대한 열정을 놓지 않는 조 말론의 노력이 조 러브스의 첫 걸음을 만들어 낸 셈입니다.

조 러브스의 런칭 이후에는 영국의 고급 백화점 셀프리지스^{Selfridges}의 화장품관 담당자가 우연히 축하 인사차 조 말론의 사무실을 방문합니다. 조 말론은 담당자가 사무실을 떠나기 직전, 담당자의 코트에 포멜로를 슬쩍 뿌립니다. 포멜로의 개성과 지속성에 깊은 인상을 받은 담당자는 바로 다음 날 셀프리지스 내 조 러브스의 팝업 스토어를 제안합니다. 애초에 비즈니스 미팅이 아니었음에도 불구하고, 가벼운 만남을 묵직한 결실로 바꾼건 조 말론의 감각적인 기지였습니다. 우연의 기회는 우연일 수 있어도, 우연의 결과는 필연입니다.

조 말론은 스스로를 '오를 기회가 있을지조차 몰랐던 엄청난 높이의 정상에 오른 등산가'에 비교합니다. 그런 등산가들은 힘든 줄도 모른 채 경험의 스릴에만 몰입하다 정상에 다다릅니다. 자신에게 주어진 매 순간에 집중하다보면 어느새 성공에 이른다는 것입니다. 조 말론도 자신의 한계를 모른 채, 꾸준히 앞으로 나아가다 보니 성장의 속도가 겉잡을 수 없이 빨라졌고, 성공은 또 다른 성공을 불러왔습니다. 조 말론은 자신에게 일만 하는 인생을 살았다고 말하는 사람들에게 '그렇다'고 말합니다. 그러나 자신이 진심으로 좋아하는 일을 하기 때문에 일만 하다 지나가 버린 인생이 아닌, 일을 통해 성장하는 인생을 살고 있다고 덧붙입니다. 열광할 만큼 좋아하는 일을 하는 사람의 발자취에 성공의 향기가 남는 이유입니다.

더 모노클 카페

12

당신이 읽고 있는 잡지는 무엇입니까?
디지털 미디어 시대에 종이 잡지가 살아남는 방법

MONOCLE

'눈을 밟는 기억'

1998년 나가노 동계 올림픽 브로셔에 담고자 했던 메시지입니다. 낭만적이지만 추상적이어서 구현하기 어려워 보이는 일을 무인양품의 디자인 철학과 체계를 구축한 '하라 켄야'가 고차원적으로 풀어냅니다. 20여 년 전에 그는 나가노 동계 올림픽의 브로셔 디자인을 총괄하면서 올림픽 참가자들이 만들 축제의 추억을 보존하고 싶었습니다. 그래서 브로셔를 단순히 정보 전달의 수단이 아니라 경험을 떠올려 줄 매체로 접근하고, '눈을 밟는 기억'을 연상시키기 위한 브로셔 디자인을 고민했습니다. 소복히 쌓인 눈에 발자국을 내며 걸었던 기억의 풍경을 브로셔 위에 구현할 수 있다면, 브로셔가 누구나 가지고 있는 기억의 풍경을 불러내는 방아쇠 역할을 할 것이고 그 잔상이 동계 올림픽의 추억과 결합되어 또 다른 기억의 풍경을 남길거라 생각했기 때문입니다.

1

2

1 · 2
나가노 동계 올림픽 개막식 브로셔입니다. 글
자만으로도 소복히 쌓인 눈에 발자국을 내며
걸었던 기억을 연상시킵니다.
©Nippon Design Center

'눈과 얼음의 종이'

그가 눈을 밟는 기억을 떠올리기 위해 새롭게 개발한 종이입니다. 브로셔의 소재에 주목하고 푹신푹신한 흰색 종이에 문자를 모두 음각으로 새기는 디보스^{Deboss} 기법으로 브로셔를 디자인했습니다. 여기에 발자국 이미지를 연상시키려 문자를 눌러 찍은 부분이 얼음처럼 반투명하게 보이는 효과를 줬습니다. 소복히 쌓인 눈은 푹신한 질감을 가지고 있지만, 발자국이 남은 눈은 밀도있게 눌려있는 디테일을 표현한 것입니다. 기존의 방식으로는 구현할 수 없어서 제지 회사와 함께 새로운 방식을 연구할 정도로 눈을 밟는 기억을 담고자 노력했습니다. 결과는 성공적이었습니다. 사진으로만 봐도 디자인적 요소를 가미하기 위해 글자를 음각으로 표현한 브로셔와는 차이가 나고, 기억의 저편을 소환할만큼 예술적 감각을 자극합니다.

'종이와 디자인'

종이의 소재성을 살려 브로셔의 새로운 지평을 열었던 그가, 나가노 동계 올림픽이 끝나고 2년 만인 2000년에 열었던 전시회입니다. 디지털 미디어 환경으로 급변하던 시기에 종이책의 역할에 대해서 고민해보자는 의도로 전시회를 기획한 것입니다. 대부분의 사람들이 종이책의 몰락을 우려할 때 그는 종이책에 대한 새로운 관점을 제시합니다. 정보를 유통하는 속도와 밀도, 그리고 정도 등에서는 디지털 미디어와 경쟁할 수 없으니 종이책은 그동안 해왔던 미디어의 역할을 디지털에게 넘겨주고, 물질로서의 소재성이 부각될 것이라는 통찰입니다.

그는 이해를 돕기 위해 먹거리에 비유합니다. 예를 들어 달걀 1,000개를 한번에 조리할 수 있는 장치가 있다고 해도 사람들은 식사를 즐기기 위해 개인의 취향에 따라 원하는 만큼의 달걀을 삶아 자기만의 방식으로 껍질을 벗겨 적당량의 소금과 함께 먹는다는 것입니다. 마찬가지로 사람들이 디지털 미디어가 아니라 종이책을 선택하는 이유는 책을 들었을 때의 무게감, 페이지를 마음 가는대로 넘기는 기분, 시간과 함께 빛바래는 분위기 등 그 소재의 성질과 특징을 음미하고 싶기 때문이라는 설명입니다. 그래서 앞으로의 종이책은 소재성을 어떻게 살리는지에 따라 평가받게 될 것이라고 덧붙입니다. 나가노 동계 올림픽에서 스스로 증명해 보였기에 그의 말에 힘이 실립니다.

그로부터 7년 후, 하라 켄야가 <종이와 디자인> 전시를 할 때 알았더라면 초대했을 법한 종이책 같은 잡지가 런던에 등장합니다. '모노클Monocle'입니다. 하라 켄야가 종이책의 미래에 대한 전시를 할 때보다 디지털 미디어가 정보 전달의 매체로서 더 견고하게 자리잡은 2007년, 타일러 브륄레Tyler Brûlé는 종이 매체의 한계보다는 가능성을 보며 모노클을 창간합니다.

모노클의 시작은 1호가 아닌 0호였습니다. 하지만 0호에는 아무런 내용이 없습니다. 매거진이 독자들에게 전할 촉감과 무게감 등을 테스트하기 위해 만들었기 때문입니다. 종이책의 소재성에 대한 고민의 흔적을 엿볼 수 있고, 하라 켄야의 통찰대로라면 시작하기도 전에 성공을 예감할 수 있는 대목입니다.

정체 모를 정체성이 뚜렷한 잡지의 탄생

모노클을 만든 타일러 브륄레는 이전에도 잡지를 창간한 경험을 가지고 있습니다. 1996년에 라이프 스타일 잡지 <월페이퍼Wallpaper>를 만들어 선풍적인 인기를 끌었습니다. 라이프 스타일의 소재가 될 수 있는 가구, 인테리어, 디자인, 건축, 여행, 패션 등의 분야를 감각적으로 다루면서 독자들이 보다 나은 삶을 즐길 수 있도록 제안한 덕분입니다. 열성적인 팬들이 생기자 미디어 업계의 큰손인 타임워너Time Warner가 230만 달러(약 25억 3,000만 원)에 인수에 나섰습니다. 창간 1년 만에 일어난 일입니다. 매각 후에도 타일러 브륄레는 2002년까지 남아 브랜드 정체성을 공고히 하고 임무를 마친듯 월페이퍼를 떠납니다.

하지만 저널리스트로 종이 매체에 대한 애정이 각별했던 타일러 브륄레는 또다시 종이 잡지 업계로 돌아옵니다. 어느 날 공항 서점에서 <이코노미스트Economist>와 <GQ>가 잘 팔리는 것을 보고 이 둘을 적절하게 결합한 잡지를 만들어야겠다고 생각한 것입니다. 불현듯한 아이디어였지만, 종이 매체에 대한 깊은 고민이 있었기에 월페이퍼에 이어 또 한 번 잡지계에 새바람을 일으키는 모노클을 세상에 선보입니다.

‘글로벌 동향, 비즈니스, 문화, 그리고 디자인에 대한 브리핑’
(A briefing on global affairs, business, culture & design)

모노클의 모토입니다. 보통의 잡지가 여행, 자동차, 디자인 등 카테고리를 기준으로 콘텐츠를 구성하는 반면, 모노클은 특정 타깃층을 중심으로 그들이 관심을 가질 만한 글로벌 동향, 비즈니스, 문화, 디자인 등의 콘텐츠를 담습니다. 타깃을 중심으로 접근하는 방식도 새로운데, 설정한 타깃 자체는 더 흥미롭습니다. 해외의 기회와 경험에 호기심이 있고 글로벌 마인드와 사고 방식을 가진 사람들이 타깃이며, 모노클이 타깃하는 독자들의 평균적인 모습을 도출하면 평균 연봉 20만 파운드(약 3억 원) 이상으로 1년에 해외 출장을 10번가량 가고, 5번의 휴가를 즐기며 도시에 거주하는 금융, 디자인 업계 등의 CEO입니다. 여기에 잡지의 개념도 달리했습니다. 일본에서 주로 볼 수 있는 무크Mook(Mag-azine+Book)지에서 영감을 받아 한 번 쓱 읽고 버리는 잡지가 아니라 읽는 데 2주가 넘게 걸리고 보관할 가치가 있는 잡지를 만드는 것으로 원칙을 정했습니다. 책에 가까운 잡지입니다.

기존의 기준으로는 정체 모를 잡지입니다. 라이프 스타일과 비즈니스 코너 중 어디에 놓여있는 것이 적합한지도, 영국 국내 독자와 해외 독자 중 누구에게 초점을 맞추고 있는지도 알기 어렵습니다. 게다가 책처럼 읽어야 하는지 잡지처럼 읽어야 하는지도 모호합니다. 하지만 기존의 틀을 벗어나면 모노클의 정체성은 뚜렷합니다. 모노클이 타깃하는 독자라면 모노클을 알아봅니다. 그래서 전 세계에서 매달 8만 명 이상의 독자들이 모노클의 브랜드 정체성에 끌려 모노클을 찾습니다.

타일러 브륄레가 콘텐츠를 바라보는 관점이 모노클의 정체 모를 정체성을 만드는 데도, 디지털 미디어 시대에 종이 잡지를 고수하는 데도 한몫했습니다. 그는 "당신이 읽는 것이 당신이다.(You are what you read.)"라고 생각합니다. 디지털 기기로 콘텐츠를 볼 경우 타인의 시선에서 봤을 때 콘텐츠 내용이 아니라 기기의 브랜드만 보이지만, 종이로 콘텐츠를 읽을 때는 겉면에 보이는 제목 혹은 브랜드가 콘텐츠 내용을 짐작케 하고 읽는 사람의 정체성을 드러내는 역할을 합니다. 그렇기 때문에 그는 종이 잡지를 기획하면서 독자들의 정체성을 상징해줄 컨셉과 디자인에 신경을 씁니다. 독자들이 정보를 전달받는 수단에서 자신을 표현하는 수단으로 미디어를 활용할 것이라는 예측을 스스로 증명하며, 미디어 업계의 미래를 만들어 가는 것입니다.

현실적이기에 더 이상적인 잡지

종이 잡지의 매력이 충분하더라도 수익을 낼 수 없다면 디지털 미디어 시대에서 살아남을 수 없습니다. 그래서 타일러 브륄레는 콘텐츠를 바라보는 철학적이고 낭만적인 관점과 달리 잡지를 사업으로 접근할 때만큼은 현실적입니다. 소셜 미디어 등에서 서비스를 제공하지 않는 것도 현실을 몰라서가 아니라 현실적이기 때문입니다. '좋아요'를 누른 사람들 중에 돈을 낼 사람은 드물다는 사실을 알기에 그는 소셜 미디어 등의 매체에는 관심이 없습니다. 그렇다면 모노클에게 돈이 되는 영역은 무엇이고 돈을 내는 주체들은 누구일까요?

모노클의 기본적인 수익은 구독료에서 나옵니다. 6파운드(약 9,000원)의 매거진을 매달 8만 명 정도가 보니 잡지 판매로만 연간 약 84억 원 이상의 매출이 발생합니다. 독자수의 25% 정도는 정기 구독자들인데, 고정 독자수를 늘리기 위해 정기 구독료 가격 체계도 특징적으로 설계했습니다. 보통은 연간 단위로 구독할 경우 가격 할인을 해주는 반면 모노클은 1년 정기 구독할 경우 100파운드(약 15만 원)로 더 비쌉니다. 가격을 낮추는 것이 아니라 가치를 더해 정기 구독자를 늘려나가기 때문입니다.

정기 구독할 경우 연간 발행하는 10권의 모노클 매거진뿐만 아니라 휴가 시즌인 7월에 발간해, 덜 알려진 여행지들을 소개하는 여행 콘텐츠 <이스케이피스트Escapist>와 연말에 발간해 모노클 편집팀의 관점으로 다음 해를 미리 보는 콘텐츠인 <포캐스트Forecast> 등 총 12권의 매거진을 보내줍니다. 여기에 모노클 매거진을 담고 다니기에 최적화된 토트백도 보내주고, 온라인 사이트 콘텐츠를 제한없이 볼 수 있게 해주며, 모노클이 주최하는 이벤트에 초대하는 등 다양한 혜택을 제공합니다. 또 하나의 눈에 띄는 혜택은 해외 배송에 따른 별도의 배송료가 없다는 것입니다. 국가를 막론하고 글로벌 마인드를 가진 독자들을 타깃하고 있으므로 해외 배송이라는 개념을 사실상 없앴습니다.

또한 모노클도 잡지의 전통적 수익 모델인 광고에서 매출을 올립니다. 하지만 광고주를 대하는 방식이 남다릅니다. 우선 광고주가 돈을 낸다고 해서 광고를 실을 수 있는 것은 아닙니다. 모노클 독자들이 지향하는 삶과 어울리는 광고주의 광고만 게재합니다. 게다가 광고주가 만든 광고를 그대로 지면에 내보내기도 하지만 협찬 기사인 애드버토리얼Advertorial 형태로 광고를 티나면서도 태나게 정보화시키기도 합니다.

예를 들어 사우스 티롤South Tyrol 지역 관광청이 광고주라면 광고주를 숨기는 보통의 애드버토리얼과 달리 '사우스 티롤 X 모노클'의 콜라보레이션이라는 것을 밝히고, 모노클 편집팀의 눈으로 특별 여행 가이드를 제작해 모노클에 담습니다. 또한 광고주가 아우디Audi라면 마찬가지로 '아우디 X 모노클'을 표기하고, 자율 주행 자동차의 미래에 대한 기사를 기획하는 식으로 광고의 가치를 높이는 것입니다. 이러한 애드버토리얼이 모노클의 광고 매출 중 60%를 차지합니다.

돈 되는 영역에서 돈 내는 주체들에게 확실한 대우를 해주면서 수익을 창출하지만 잡지에만 갇혀 있으면 확장성에 한계가 있습니다. 그래서 모노클은 기존의 틀을 깨며 잡지를 만드는 것은 물론이고 잡지의 틀을 깨고 미디어로서의 브랜드를 키워나갑니다.

#1. 잡지를 살리는 잡화 매장, 더 모노클 숍

모노클이 잡지의 틀을 깨고 나와 첫 번째로 선보인 결과물이 제품 판매 매장인 더 모노클 숍입니다. 처음부터 상설 매장을 연 것이 아닙니다. 해러즈Harrods 백화점 내에 팝업숍을 열어 몇 주 동안 제품들을 판매해보면서 가능성을 확인한 후 1년가량을 준비해 2008년 11월에 더 모노클 숍을 엽니다.

　더 모노클 숍도 모노클 잡지처럼 기존의 편집숍이나 제품 판매 매장과 차이가 있습니다. 우선 매장의 크기가 9m² 정도로 리테일 매장이라고 하긴엔 작은 편입니다. 매장을 운영하는 직원의 개인 사무실 공간에 제품을 놓고 판매하는 듯한 분위기로, 다양한 제품을 취급할 수 없는 구조입니다. 게다가 한 번에 4명이 들어가면 쇼핑은커녕 함께 서있기도 힘들만큼 좁아 다수의 고객에게 팔 수도 없는 환경입니다. 유동 인구를 대상으로 대량 판매를 하려는 접근과는 거리가 멉니다. 또 다른 특징은 모노클의 안목으로 선별한 제품들을 판매하는데 하나같이 컬래버레이션 표시가 붙어 있습니다. 특정 브랜드의 제품을 갖다 놓고 유통만 시키는 방식이 아니라 모노클이 애정하는 브랜드들과 기획을 함께해 컬래버레이션 제품을 만들어 판매하는 것입니다.

　모노클이 컬래버레이션하여 히트를 친 제품이 바로 토트백입니다. 다양한 라이프 스타일에 맞춰 기본에 충실한 가방을 만드는 일본 브랜드 포터Porter와 협업하여 토트백을 만들었는데 1년 남짓한 기간동안 8,000개 이상을 판매해 당시 환율 기준으로 약 39억 원의 매출을 올렸습니다. 더 모노클 숍을 열고 컬래버레이션 토트백을 판매한 덕분에 2008년 금융 위기로 많은 잡지사들이 무너질 때 모노클은 버틸 수 있었고, 홍콩 지사의 개설 비용을 충당할 수 있을 정도로 모노클 잡지의 성장에 중요한 역할을 했습니다. 이후 다양한 브랜드들과 협업하며 컬래버레이션 제품 종류를 늘려갑니다.

문구로 시작해 패션 잡화로 영역을 확장하며 또 하나의 문화를 만들어가는 델포닉스Delfonics와 함께 여권 지갑 등의 제품을 만들고, 전 세계적으로 몇 개 남지 않은 전통 편물 기계로 100% 코튼 소재로만 옷을 만드는 일본 브랜드 루프휠러Loopwheeler와는 여행할 때 입기 편안한 가디건을 만듭니다. 또한 알루미늄 소재로 시그니처 캐리어를 만든 독일 브랜드 리모와Rimowa와 협업해 여행용 캐리어를 제작해 판매합니다. 이처럼 글로벌 마인드를 가진 독자들이 여행을 다닐 때 필요한 제품들은 물론, 그들이 일상에서 사용할 수 있는 디퓨저, 향수, 실내화 등의 제품들도 정체성이 뚜렷한 브랜드들과 컬래버레이션하여 재탄생시킵니다.

이처럼 물건을 유통시키는 것이 아니라 컬래버레이션하여 새롭게 만드는 더 모노클 숍의 접근은 단순히 광고 지면만 파는 것이 아니라 광고를 콘텐츠로 재생산해내는 애드버토리얼 기사의 연장선에 있다고 볼 수 있습니다.

2015년 기준으로 리테일 관련 매출이 전체의 17%가량을 차지할 만큼 사업적으로 눈에 보이는 결과를 만들어냈지만, 눈에 보이지 않는 효과도 큽니다. 모노클 팬들에게 모노클스러운 제품들을 판매하면서 고객 충성도를 높일 수 있을 뿐만 아니라 이미 팬들을 보유하고 있는 브랜드들과 컬래버레이션을 하기 때문에 해당 브랜드의 팬이지만 모노클을 모르던 사람들에게 모노

1
더 모노클 숍 전경입니다. 매릴번 지역에 위
치한 본사 근처에 있습니다.

2
모노클에서 발행한 단행본과 가방 브랜드 포터와 협업하여 만든 가방입니다. 포터 가방은 더 모노클 숍의 대표 상품입니다.

3
장인정신이 깃든 타월 브랜드 콘텍스와 협업하여 만든 타월과 슬리퍼입니다.

4
@아로마와 협업하여 만든 요시노 히노키 디퓨저를 비롯해 다양한 컬래버레이션 제품들을 판매합니다.

5
음향기기 업체 레보와 협업하여 만든 라디오입니다. 이 라디오를 통해 인터넷 라디오 방송 채널인 '모노클24'를 청취할 수 있습니다.

클에 대한 관심을 갖게하는 역할도 합니다.

#2. 잡지를 알리는 잡담 공간, 더 모노클 카페

더 모노클 숍만큼이나 모노클 브랜드를 알리는 데 중요한 축을 담당하는 것이 더 모노클 카페입니다. 자연스러운 수순같아 보이지만, 모노클이 적극적으로 나서서 시작하진 않았습니다. 오히려 일본 디자인 회사가 카페를 만들자고 먼저 제안했고, 모노클이 이 제안을 받아들여 2011년 10월에 런던이 아니라 도쿄에 더 모노클 카페를 오픈했습니다. 글로벌 독자들을 대상으로 하기 때문에 가능한 모노클다운 시도입니다. 도쿄에서의 성공적 운영을 바탕으로 모노클은 2013년 4월에 런던의 본사 근처에 두 번째 카페를 엽니다.

런던에 위치한 더 모노클 카페는 유럽풍이 아니라 일본풍에 가까운 분위기입니다. 일본 디자이너 요시츠구 타카기가 이끌고 있는 모노클 디자인팀이 더 모노클 카페 도쿄 지점의 분위기를 반영하면서 모노클이 추구하는 바를 구현했기 때문입니다. 정갈한 느낌의 매장 곳곳에서 모노클의 콘텐츠, 제품, 행사 등에 대한 홍보 포스터를 볼 수 있는데 이를 통해 고객들은 모노클이 하고 있는 다양한 사업들을 접할 수 있습니다. 카페가 모노클의 소식을 전하는 소통 창구 역할을 하는 것입니다.

모노클이 카페에서 그들의 비즈니스를 알리는 방법은 홍보 포스터 외에도 다양합니다. 초콜릿 뒷면에 모노클 정기 구독에 대한 정보를 담아 초콜릿을 공짜로 나눠줍니다. 구매 전환율은 측정하기 어렵겠지만 정기 구독에 대한 내용을 달콤하게 전달하기에 홍보에 따른 부정적 반응을 최소화할 수 있습니다. 또한 모노클 잡지와 음료를 세트로 묶어 6파운드(약 9,000원)에 판매합니다. 모노클 잡지가 6파운드이니 잡지를 사면 2.5파운드(약 3,800원)의 음료를 공짜로 제공하는 셈입니다. 커피를 마시러 온 고객들에게 음료는 그냥 드릴테니 모노클 잡지를 읽어보라고 권유하는 가격 구성입니다.

여기에서 그치지 않고 간접적인 홍보를 하나 더 합니다. 더 모노클 카페에선 여느 카페와 달리 배경 음악 대신 라디오 방송이 흘러나오는데, 이 방송이 모노클에서 제작하는 방송 콘텐츠입니다. 감도 있는 모노클이 미디어 시장의 변화를 이해하지 못해서 라디오 방송에 손댔을 리 없습니다. 오히려 독자들에 대한 이해가 깊었기에 2011년부터 24시간 방송하는 디지털 라디오 서비스인 '모노클 24'를 시작했습니다. 모노클 독자층은 바쁘며 이동이 잦은 사람들입니다. 이들이 일을 하거나 이동하면서 영상 등의 시각적 콘텐츠를 즐기기 어려우니, 다른 일과 병행하며 들을 수 있는 청각적 콘텐츠가 적합하리라 판단한 것입니다.

모노클 24에선 다양한 호스트가 일간 브리핑은 물론 정치, 경제, 문화 등의 콘텐츠를 다룹니다. 카페에서 우연히 라디오를 들으며 새로운 정보를 얻거나 흥미로운 인터뷰를 접한 고객들은 모노클 24에 대한 인지도와 관심도가 높아지며, 카페를 나선 후에는 청취자가 될 가능성이 생깁니다. 2016년 기준으로 모노

1
더 모노클 카페 전경입니다. 더 모노클 숍과
마찬가지로 본사 근처에 위치해 있습니다.

2
더 모노클 카페 내부의 한 쪽 벽면에는 모노
클에서 발행한 시티 가이드북 시리즈, 모노
클에서 컬래버레이션해 판매하는 제품들,
모노클에서 주최하는 컨퍼런스 등에 대한
정보를 안내하는 포스터가 붙어있습니다.

3
더 모노클 카페에서는 매릴번 지역의 지도
를 무료로 제공합니다. 매릴번에서 가볼 만
한 장소들을 선정해 지도 위에 표시했을 뿐
만 아니라, 모노클의 다양한 제품과 서비스
도 홍보합니다.

4
더 모노클 카페에서는 초콜릿도 공짜로 나
눠줍니다. 초콜릿의 패키지 뒷면에는 모
노클 정기 구독에 대한 정보가 담겨 있습
니다.

5
모노클 잡지와 음료 세트가 6파운드입니
다. 모노클 잡지의 가격이 6파운드이니, 잡
지를 사면 음료를 공짜로 주는 셈입니다.

클 24의 청취자는 월 평균 약 100만 명이며, 이는 전년 대비 2배 가량 늘어난 숫자입니다. 카페에서 들려주는 라디오 방송이 청취자를 늘리는 데 절대적 역할을 한 건 아니겠지만 한몫 거든 건 분명합니다.

#3. 잡지를 빛내는 잡지 매대, 키오스카페

런던에는 더 모노클 카페 말고도 모노클에서 운영하는 카페가 하나 더 있습니다. '키오스카페Kioskafe' 입니다. 고객 접점을 늘리고, 모노클 브랜드를 알릴 목적이면 더 모노클 카페 2호점을 내면 될 일인데, 모노클은 간판을 바꿔 단 카페를 2015년 9월에 오픈했습니다. 게다가 모노클이라는 브랜드를 전면에 내세우지도 않았습니다. 모노클은 어떤 이유로 새로운 시도를 감행한 것일까요?

키오스카페는 이름에서 유추할 수 있듯이 신문과 잡지, 그리고 간단한 스낵 등을 파는 간이형 점포인 키오스크Kiosk와 카페를 결합한 공간입니다. 유럽 도시에서 흔히 볼 수 있는 키오스크를 80m²의 공간에 모노클 방식으로 재해석한 것입니다. 모노클에서 만든 콘텐츠만 소개하는 더 모노클 카페와 달리 키오스카페에서는 모노클뿐만 아니라 전 세계에서 엄선한 100여 종의 잡지와 신문을 제안하며 판매합니다. 또한 더 모노클 숍과 더 모노클 카페가 매릴번Marylebone 지역에 위치한 모노클 본사 근처에 모여있는 반면 키오스카페는 교통의 요지 패딩턴Paddington 지역에 있습니다. 그동안의 모노클의 시도와는 다른 행보입니다.

모노클이 모노클이라는 틀을 깨고 다양한 잡지를 파는 공간을 만든 건 잡지를 구매하는 환경에도 변화가 있어야 종이 매체 전체가 성장할 수 있다고 판단했기 때문입니다. 잡지 시장과 모노클 잡지는 별개가 아니고, 잡지 시장이 살아야 모노클도 살 수 있다는 거시적인 접근입니다. 여기에다가 최고의 잡지들은 그에 어울리는 공간에서 판매해야 고객에게 유기적인 경험을 제공할 수 있다는 고객 지향적인 관점도 놓치지 않았습니다.

잡지 판매 공간은 새롭게 재탄생시켰지만, 타깃 고객만큼은 변화를 주지 않았습니다. 그래서 가십거리를 다루는 잡지들은 배제하고 타깃 고객들이 지적유희를 느낄 수 있는 잡지들을 선별해 진열합니다. 최신 뉴스가 아니라 과거의 사건을 시간을 두고 되돌아보는 <딜레이드 그래티피케이션Delayed Gratification>, 일본의 라이프 스타일 매거진인 <뽀빠이Popeye>, 하나의 브랜드를 입체적으로 소개하는 <매거진 B> 등이 대표적입니다.

또한 글로벌하게 이동하는 타깃 고객들을 고려해서 그들이 런던에서도 모국의 소식을 접할 수 있도록 전 세계 2,500여 종의 신문을 NODNewspapers on Demand 방식으로 볼 수 있게 했습니다. 3파운드(약 4,500원)를 내고 신문 리스트에서 원하는 신문을 선택하면 즉석에서 신문을 출력해서 만들어주는 서비스를 제공하는 것입니다. 이를 통해 언론사에서 인쇄한 신문을 배송받는 모델로는 비용 때문에 엄두도 못 낼 고객 경험을 제공할 수 있습니다. 갓 나온 신문의 뜨뜻한 온기가 따뜻한 커피와 만나니 신문

1
키오스카페 전경입니다. 교통의 요지인 패딩
턴 지역에 위치해 있습니다.

2
키오스카페에서는 더 모노클 카페와 달리 모노클 잡지뿐만 아니라 전 세계에서 엄선한 100여 종의 잡지를 판매합니다.

3
키오스카페 화장실에도 모노클에서 발행한 잡지들을 진열해 놓았습니다. 런던에서 가장 지적인 화장실입니다.

4 · 5
전 세계 2,500여 종의 신문을 NOD(News-papers on demand) 방식으로 출력해서 볼 수 있는 서비스를 제공합니다. 런던을 여행하며 커피와 함께 한국의 신문을 보는 경험이 낭만적입니다.

도 새로워집니다.

키오스카페에서는 잡지와 신문 뿐만 아니라 샴푸, 칫솔, 치약, 로션, 양말, 펜, 우산 등 여행에 필요한 제품들도 함께 판매합니다. 세계에 퍼져있는 타깃 고객들이 런던 여행을 하면서 들렀을 때, 급하게 여행 용품을 필요로 할지도 모르기 때문입니다. 잡지 매장에서 여행 용품을 판매하는 것이 어색할 수도 있지만, 모노클의 타깃 고객 특성을 고려하면 어울리는 조합입니다.

정체 모를 미래지만 정체 없을 잡지

"영혼을 울리는 것이라면 어떤 문화와도 공명합니다. 진짜 글로벌이란 건 획일화되고 거대화된 것이 아니라, 인간의 근원적 부분과 상통할 수 있는 것입니다."

세계적인 크리에이티브 디렉터 알렉산더 겔만Alexander Gelman의 말이자 그가 제시한 '포스트글로벌Postglobal' 컨셉의 핵심입니다. 포스트글로벌은 획일화를 위한 글로벌도 아니고, 현지화를 통한 글로벌도 아닌 개념입니다. 본질적인 속성을 가지고 있다면 규모의 경제가 없더라도 지역에 관계없이 글로벌 어느 곳으로나 확산될 수 있고, 문화권에 따라 재해석되며 인위적인 변형 없이도 현지화될 수 있다는 뜻입니다.

'비행기 안에서 만난 낯선 사람과도 모노클 독자라는 공통점으로 금새 대화를 나눌 수 있다'고 설명하는 모노클 에디터 앤

드류 턱Andrew Tuck의 설명에서 모노클의 포스트 글로벌적 속성을 발견할 수 있습니다. 또한 에디터의 정성적인 언급 뿐만 아니라 판매에 관한 정량적인 통계에서도 모노클의 포스트 글로벌적 특성을 엿볼 수 있습니다. 잡지 판매 부수 중 80% 이상이 영국 외의 국가에서 판매될 정도로 글로벌하고, 판매 부수 상위 국가는 미국, 영국, 호주, 캐나다, 독일 순인 반면 광고 수익 상위 국가는 스위스, 이탈리아, 미국, 일본, 독일 순으로 상관 관계가 낮습니다. 판매 인기 지역과 광고주가 몰리는 지역이 다른 건 지역에 대한 구분이 없기 때문에 가능한 일입니다.

모노클의 이러한 포스트 글로벌적 속성이 모노클의 경쟁력이자 미래입니다. 전 세계적으로 모노클의 정체성에 공명할 독자들을 늘려나가며, 그들에게 모노클 잡지 외에도 모노클스러운 콘텐츠들을 제공하면서 모노클은 성장해 나갈 수 있습니다. 모노클은 2013년부터 모노클 가이드 시리즈, 도시 여행 가이드북 시리즈 등으로 단행본 사업을 키워가고 있습니다. 모노클의 독자라면 관심을 가질 법한 콘텐츠입니다. 또한 2015년부터는 '삶의 질Quality of Life' 컨퍼런스를 만들어 컨퍼런스 사업으로도 영역을 확장했습니다. 타일러 브륄레가 '모노클의 팬들이 세계 각지에 퍼져 있는 자신과 비슷한 독자들을 만나고 싶어 하기 때문에 행사가 성공적'이라고 평가할만큼 컨퍼런스도 자리를 잡아 가고 있습니다.

모노클이 그려나갈 미래의 정체를 알 수는 없지만, 모노클의 정체성이 흐려지지 않는 한 정체 없이 진화해나갈 것입니다.

재구성.

메이드

13

가격표 대신 (+)태그가 붙어있는 가구점

오프라인 매장은 온라인 매장으로 연결되는 문

MADE⊕

물건은 보이지 않는데 물건을 살 수 있는 매장이 있습니다. 가구, 전자제품, 주방용품, 스포츠용품, 액세서리 등 6만여 개 제품을 판매하는 종합 소매점 '아고스Argos' 이야기입니다. 아고스 매장의 매대에는 제품을 진열하는 대신 수십 대의 태블릿 PC를 비치해 두었습니다. 디자인도 크기도 제각각인 제품 대신 통일된 디자인의 태블릿 PC를 배치하자 매장의 첫인상이 깔끔해지고, 쾌적한 매장 환경이 조성됩니다. 제품을 진열하지 않는 대신, 디지털 카탈로그의 역할을 하는 태블릿 PC를 활용해 아고스에서 취급하는 모든 제품의 재고 현황, 가격, 세일 등의 실시간 정보를 제공하며 제품을 판매합니다.

아고스의 판매 모델은 온라인 쇼핑과 오프라인 매장의 장점을 합쳐 고객 편의를 획기적으로 개선합니다. 고객들은 구매하려는 제품을 찾아 매장을 돌아다닐 필요없이 태블릿 PC로 원하는 상품을 검색하고 주문까지 그 자리에서 할 수 있습니다. 고객이 태블릿 PC를 통해 제품을 주문하면, 점원이 창고에서 해당 상품을 가져다 줍니다. 인터넷으로 미리 주문하고 매장에서 픽업할

1
아고스는 매장 내 제품이 있어야 할 자리
에 제품 대신 제품의 정보를 제공하는 태
블릿 PC를 배치해 쾌적한 쇼핑 환경을 유
지합니다.

2
제품들은 카운터 뒤의 창고에 보관되어 있
습니다. 재고가 있는 경우 현장에서 직접
수령할 수 있으며, 없는 경우에는 배송받을
수 있습니다.

수도 있고, 창고에 없는 물건은 집으로 배송받을 수도 있습니다. 기존 오프라인 쇼핑에 비해 매장 안에서의 이동량과 소비하는 시간이 줄고, 온라인 쇼핑과 달리 매장에서 바로 제품을 받을 수 있어 배송을 기다리지 않아도 됩니다.

매장 입장에서는 공간을 효율적으로 사용할 수 있습니다. 홍콩과 함께 임대료가 가장 비싼 도시 1, 2위를 다투는 런던에서 효율적인 공간 활용은 사업자가 늘 고민할 수밖에 없는 과제입니다. 아고스는 제품을 창고에 쌓아 두었다가, 고객이 요청할 때에만 꺼내오면 되니 제품을 매력적으로 진열하기 위한 별도의 공간이나 노력이 필요하지 않습니다. 게다가 제품을 직접 진열해 두는 것보다 태블릿 PC를 두면 동일한 크기의 공간에서 고객들이 도달할 수 있는 제품의 수가 비교도 안 될 만큼 늘어납니다. 이처럼 아고스는 오프라인 쇼핑과 온라인 쇼핑의 장점을 더해 매장의 효율성도 높이면서도 고객들에게 새로운 쇼핑 경험을 제공하고 있습니다.

런던의 소호에 위치한 가구 매장 '메이드MADE'도 아고스와 마찬가지로 매장에서 태블릿 PC를 활용하여 고객의 쇼핑을 돕습니다. 아고스의 태블릿 PC는 한 자리에 고정되어 있어 고객들이 그 앞에서 제품을 찾아야 하는 반면, 메이드의 고객들은 태블릿 PC를 들고 매장 이곳 저곳을 돌아 다닙니다. 게다가 제품을 진열해 두지 않는 아고스와 달리, 메이드는 제안하고자 하는 생활 공간을 디자이너 가구들로 꾸며 쇼룸처럼 구성했습니다. 같은 듯 다른 방식이라 쇼핑 경험도 달라집니다. 아고스가 온라인 쇼핑을 오프라인 매장에서 하는 느낌이라면; 메이드는 온라인 매장에서 오프라인 쇼핑을 하는 기분입니다. 2010년에 시작한 가구계의 루키지만, 새로운 고객 경험을 만들어내며 영국을 넘어 유럽 전역에 영향력을 발휘할 정도로 사세를 확장하고 있습니다. 메이드가 재구성한 매장은 기존의 가구점들과 무엇이 다른 걸까요?

#1. 오프라인과 온라인을 연결하면 경험이 달라진다

메이드 매장에 들어서면 가구들보다 한쪽 벽면을 채운 수백 개의 하얀 서랍이 눈에 들어옵니다. 각 서랍에는 메이드에서 판매하고 있는 가구들의 이미지가 붙어 있습니다. 온라인 쇼핑을 할 때 스크롤을 내리며 제품 이미지를 훑어 보듯이, 오프라인 매장에서 메이드에서 취급하는 가구들의 전반적인 내용을 직관적으로 확인할 수 있도록 구성한 것입니다. 서랍을 열어보면 제품에 대한 이미지와 설명이 담긴 엽서가 채워져 있습니다. 고객들은 각 서랍을 살펴보면서 마음에 드는 가구 디자인의 엽서를 가지고 갈 수 있습니다. 온라인 쇼핑에서 위시 리스트에 담는 과정을 오프라인 매장에 아날로그적인 방식으로 구현한 셈입니다. 온라인 쇼핑에 익숙한 고객들은 오프라인에서도 유기적인 쇼핑 경험을 할 수 있고, 오프라인 쇼핑에 익숙한 고객들은 온라인 쇼핑의 재미를 간접적으로 느낄 수 있습니다. 매장의 한쪽 벽면에 공들여 채운 서랍들은 메이드 매장의 미리보기이자, 오프라인과 온라인 쇼핑을 창의적으로 넘나드는 메이드의 판매 방식을 넌지시 알리는 상징이기도 합니다.

'경험, 맞춤형 서비스, 구매'

메이드의 쇼룸이 내세우는 세 가지 요소입니다. 메이드의 쇼룸을 방문하면 사고자 하는 가구를 직접 체험해 볼 수 있습니다. '사무실을 위한 메이드MADE for work', '거실을 위한 메이드MADE for living' 등으로 매장의 공간을 용도에 따라 구분하고, 디자이너 가구들을 배치합니다. 매장에 상주하는 '가구 전문가Furniture Guru'들은 재질, 마감, 스타일링 팁 등 전문적인 정보를 제공하여 고객들의 쇼핑에 완성도를 더합니다. 여기까지는 여느 가구점에서도 볼 수 있는 풍경입니다. 하지만 메이드의 매장에 비치되어있는 태블릿 PC를 집어 들면 그 어느 가구점에서도 경험하지 못했던 쇼핑을 할 수 있습니다.

매장 내에 있는 가구들 위에는 '(+)' 모양의 태그가 붙어 있습니다. 마음에 드는 가구의 (+)에 태블릿 PC를 갖다 대면 태블릿 PC 화면에 제품의 상세 정보가 나올 뿐만 아니라 가구를 디자인한 디자이너의 다른 제품들도 함께 보여 줍니다. 디자이너의 가구들을 모두 전시할 수 없기 때문에 디자이너의 대표 작품을 쇼룸에서 보여주고, 고객들이 그 디자이너의 스타일과 시그니처에 관심이 생긴다면 태블릿 PC를 통해 확장해서 쇼핑할 수 있도록 고객 경험을 설계한 것입니다. 실물 가구에 있는 (+) 태그는 물론, 서랍에 붙어 있는 이미지에 태블릿 PC를 갖다 대도

1
메이드는 서랍과 엽서를 통해 온라인에서
의 쇼핑 경험을 오프라인 매장에 아날로그
방식으로 풀어냈습니다.

2
온라인 쇼핑에서 위시 리스트에 제품을 저
장하듯, 마음에 드는 제품의 서랍 속에 있
는 엽서를 가지고 갈 수 있습니다.

3
태블릿 PC를 서랍 앞에 갖다 대면 해당 제
품과 디자이너에 대한 상세 정보를 알 수 있
으며 구매도 할 수 있습니다.

1 · 2 · 3
메이드의 매장은 세련된 감각의 다양한 디자이너
가구들을 용도에 따라 구분해 전시합니다.

해당 가구 및 디자이너의 상세 정보와 관련 제품들을 확인할 수 있습니다. 고객들은 제한된 공간에서 오프라인과 온라인을 넘나들며 메이드에서 취급하는 모든 디자이너 가구들을 구경할 수 있습니다. 게다가 태블릿 PC를 통해 바로 주문을 할 수 있어 제품을 구매하기 위해 계산대에 줄을 설 필요도 없습니다.

태블릿 PC로 오프라인 매장과 온라인 매장을 연계시키는 것에서 그치지 않고, 메이드는 온라인 서비스를 운영하며 고객의 라이프 스타일을 한 단계 끌어 올립니다. 먼저 '메이드 인스피레이션MADE Inspiration'은 인테리어 정보 큐레이션 서비스로, 벤치마킹할 만한 인테리어를 보여 주거나, 간단한 인테리어 아이디어와 각종 팁을 제공합니다. 또한, '메이드 언박스드MADE Unboxed'라는 SNS를 운영하기도 합니다. 상자에서 꺼낸 메이드라는 뜻으로, 고객들이 메이드에서 구매한 가구로 꾸민 인테리어 사진들을 포스팅하고, 다른 사람들과 함께 공유하는 플랫폼입니다. 아이디어의 단서가 되는 이미지들을 저장하거나 회원들을 팔로우할 수 있는 등 SNS의 기본적인 기능이 탑재되어 있을 뿐만 아니라, 사진에 등장한 메이드 제품을 바로 구매할 수도 있습니다. 고객들에게 다양한 영감을 제공하며 그들의 감도를 높여주고, 잠재 수요를 자극하는 것입니다.

#2. 가구와 고객을 연결하면 가격이 달라진다

가구는 비싼 제품입니다. 가구의 크기가 커질수록, 제작 과정에

LIKE THE LOOK
OF A MADE PIECE
BUT WANT A FRESH
PERSPECTIVE?

Unboxed lets you connect with
MADE customers. Think honest
reviews, helpful advice and
inspiring homes. Step inside
and get the lowdown.

made.com/unboxed

Twitter: @madedotcom
Instagram: @madedotcom

1
마음에 드는 가구의 (+)에 태블릿PC를 갖
다 대면, 제품에 대한 상세 정보를 알 수 있
으며 해당 제품을 만든 디자이너의 다른 제
품들도 볼 수 있습니다.

2·3
고객들이 인테리어 아이디어를 얻을 수 있
도록 메이드에서 구매한 가구로 꾸민 공간
을 공유하는 SNS를 운영합니다.

서 더 정교한 기술이 필요할수록 가격은 더 높아집니다. 여기에 디자이너가 디자인한 가구라면 가격대가 더 뜁니다. 원재료비, 인건비, 디자이너의 지명도 등을 감안하더라도 부담스럽습니다. 가구의 가격이 지나치게 높게 책정되는 이유 중 하나는 가구 업계의 불문율로 작용하는 40~50% 수준의 유통 마진입니다. 여러 단계의 중개상인들을 거치면 50%를 훌쩍 넘는 경우도 생깁니다. 메이드는 이런 전통적인 유통 구조에서 벗어나 불필요한 마진을 줄여 비즈니스 모델을 구현했습니다. 그리고 그 과정에서 발생한 혜택을 합리적 가격으로 고객들에게 돌려줍니다.

메이드는 가구 디자이너들을 고객들과 직접 연결하여 개성 있는 가구를 합리적 가격에 제공합니다. 100명이 넘는 가구 디자이너들과 계약을 맺고 그들이 제작한 가구를 판매하는 것은 물론, 유능한 디자이너지만 가구 전문 디자이너가 아닐 경우 해당 디자인을 가장 잘 구현할 수 있는 목공업자를 찾아 가구를 만들기도 합니다. 디자이너 가구의 가격을 낮추는 것만큼이나 메이드만의 고유한 가구 콜렉션을 갖추기 위해 노력하는 것입니다. 주문 제작 방식이기 때문에 다른 가구 매장에서 구입하는 것보다 가구를 받아보기까지 시간이 더 걸리지만 차별적인 디자인과 품질의 가구를, 지불 가능한 수준의 가격으로 장만할 수 있어 고객들은 기꺼이 기다림을 받아들입니다.

메이드는 디자이너의 가구를 유통하는 매장이기도 하지만, 스스로 제작자가 되기도 합니다. 2015년에 '궁극의 매트리스'를 표방하며 '더 원 바이 메이드 닷컴The ONE by MADE.com'이라는 브랜

드를 런칭했습니다. 더 원 바이 메이드 닷컴은 디자인 감각만큼
이나 기술력에 방점을 둔 매트리스 브랜드로 메이드는 수백 번
의 테스트와 수십 개의 프로토타입 제작을 거쳐 매트리스를 탄
생시켰습니다. 품질 측면에서 2,000파운드(약 300만 원) 이상에 팔
리는 고가 브랜드의 매트리스와 비견할 만한데, 가격은 절반 이
하이니 출시 이후 고객들의 꾸준한 호응을 받고 있습니다. 유통
과정을 줄였을 뿐 아니라 직접 제작했기에 가능한 가격입니다.
또한 자체 제작으로 사업 영역을 확장하되, 가구가 아니라 매트
리스라는 보완제를 만들어 협업하고 있는 유능한 디자이너들과
의 불필요한 마찰을 피했습니다. 메이드의 현명한 비즈니스 감
각을 엿볼 수 있는 대목입니다.

#3. 디자이너와 시장을 연결하면 제품이 달라진다

2016년에 《채식주의자》로 맨부커상Man Booker Prize을 수상한 한
강 작가는 말 그대로 스타덤에 올랐습니다. 맨부커상 수상으로
인해 《채식주의자》가 베스트 셀러에 오른 것은 물론, 한강 작가
의 다른 작품들 또한 판매량이 급증했습니다. 작품들은 그대로
인데, 맨부커상을 수상하기 전과 후가 확연히 다릅니다. 이처
럼 대회의 인증이 남기는 효과는 명예적으로도, 경제적으로도
큽니다.
　　가구 디자인 업계에도 쾰른 가구 박람회IMM Cologne, 밀라노
국제 가구 전시회Salone del Mobile.Milano, 메종 에 오브제Maison et Objet

등의 전시회가 가구 디자이너들이 도약할 수 있는 발판을 제공합니다. 하지만 무명 가구 디자이너들이 접근하기는 어려운 무대입니다. 그래서 메이드는 무명 가구 디자이너들도 자신의 재능을 시장에 선보이고 인정받을 수 있는 기회를 마련하기 위해 직접 대회를 개최합니다.

메이드는 2013년부터 2016년까지 신인 가구 디자이너들을 위한 '이머징 탤런트 어워드Emerging Talent Award'를 운영해 왔습니다. 별도의 참가 자격은 없으며, 메이드 대표, 디자인 부문장 등으로 구성된 내부 심사위원들이 모든 출품작을 심사하여 어워드에 참가할 후보자들을 선발합니다. 선발된 후보 디자이너들의 작품은 메이드의 웹페이지에서 대중들로부터 투표를 받습니다. 표를 가장 많이 받은 우승자의 가구 디자인은 메이드의 목공업자 네트워크를 통해 제품으로 제작한 후, 메이드에서 판매합니다. 1만 표 이상을 획득했던 2013년도 우승자 조시 모리스Josie Morris의 오크 테이블은 메이드의 베스트 셀러가 되기도 했습니다. 이머징 탤런트 어워드는 디자이너들에게는 자신의 제품을 시장에 선보이는 무대가 되고, 메이드에게는 검증된 제품을 확보하는 기회가 됩니다.

2017년 10월, 이머징 탤런트 어워드를 주최하던 메이드의 탤런트랩TalentLAB은 이머징 탤런트 어워드를 크라우드 펀딩 플랫폼으로 진화시킵니다. 어워드가 작품 선정 심사 과정을 통해 한 해에 하나의 제품을 데뷔시켰다면, 크라우드 펀딩 플랫폼은 2달에 한 번씩 수십 개의 가구를 소개하여 더 많은 디자이너와

MADE.COM is proud to present the Content Collection by Terence Conran.
With a career spanning over half a century, Sir Terence's name is synonymous
with British design. He's the founder of the British Design Museum, has authored
over 50 books and launched Content by Conran in 2003 to make design-led,
quality furniture more accessible. With that shared ideal, he has created this
seating collection for MADE - one he describes as timeless, carefully designed
and made for relaxed, modern living.

1
이머징 탤런트 어워드의 2013년도 우승
자 조시 모리스가 디자인한 오크 테이블
은 메이드의 베스트 셀러 중 하나입니다.
ⓒJosie Morris

2·3
신진 디자이너뿐 아니라 영국 디자인의 아
버지로 불리는 테렌스 콘란과 협업하여 디
자인한 가구도 판매합니다.

가구를 발굴합니다. 메이드의 내부 심사를 거쳐 큐레이션된 제품들은 2달간 크라우드 펀딩을 받습니다. 1명당 약 10~30파운드(약 1만 5,000~4만 5,000원)를 펀딩할 수 있고, 펀딩 기간 종료 후에 펀딩 목표를 달성한 제품들은 3~4개월의 제작 기간을 거쳐 메이드에서 판매합니다. 펀딩 기간 동안 해당 가구를 후원했던 고객들은 할인가에 그 가구를 구매할 수 있습니다. 아이디어와 대중을 직접 연결하는 크라우드 펀딩 플랫폼의 속성을 살려 디자이너와 고객, 그리고 메이드 스스로에게 더 많은 기회와 혜택을 제공하는 메이드의 지혜가 돋보입니다.

연결에서 찾은 기회

메이드는 가구 산업의 틈새를 찾기 보다, 틈새를 좁혀 새로운 비즈니스 기회를 만들었습니다. 메이드의 공동 창업자인 닝 리^{Ning Li}의 창업 스토리에서 그 단서를 찾을 수 있습니다. 그는 메이드를 설립하기 전, 프랑스의 이커머스 사이트인 마이팹^{Myfab}으로 첫 번째 사업을 시작합니다. 마이팹 역시 중간 유통업자를 없애고 고객들이 제조업자로부터 바로 제품을 구매할 수 있도록 하여 일반 소비자 가격의 70% 정도에 제품을 판매했습니다. 이 때부터 생산자와 소비자를 직접 연결하는 플랫폼의 가치를 알아본 것입니다.

　닝 리는 마이팹의 여러 가지 카테고리 중에서도 가구의 판매량이 급격히 증가하는 추세를 발견합니다. 현상을 분석하기 위해 가구업계의 유통 구조를 살피던 중 업계 관계자로부터 흥미로운 사실을 듣게 됩니다. 중국의 가구 제조업자가 만든 소파가 중개상에게 400파운드(약 60만 원)에 팔리고, 유럽의 도매업자, 소매업자 등을 거치면서 최종 소비자에게 3,000파운드(약 450만 원)에 판매되며 가격이 7배 이상 뛴다는 것입니다.

그는 마이팹에서 했듯이, 인터넷을 활용해 공급망 구조를 바꾸면 가구 디자이너와 고객의 틈새를 좁히고 직접 연결할 수 있을 거라 판단했습니다. 주변 사람들이 시기 상조라며 반신반의했지만, 그는 마이팹에서의 경험을 바탕으로 디자이너의 가구를 반값가량 낮춰 공급할 수 있다면 승산이 있다고 확신하고 메이드를 런칭했습니다. 메이드는 실험적인 비즈니스 모델로 가구 업계에 등장했지만, 무모한 도전이 아니라 뚜렷한 현상을 감지하고 가까운 미래를 내다본 혜안이 만들어 낸 결과입니다.

가구 산업에서 가장 최근의 혁신은 임대료가 저렴한 외곽 지역에 창고형 매장을 두고 기능에 충실한 가구를 합리적 가격에 판매하는 이케아IKEA였습니다. 합리적 가격에 가구를 구매하기 위해 고객들은 먼 곳의 매장에 가는 것을 마다하지 않고, 직접 가구를 조립하는 것에 불평을 하지도 않았습니다. 오히려 교외 쇼핑, DIY 등의 새로운 소비 문화를 만들어내며 가구 산업의 지평을 넓혔습니다. 70년 전에 시작된 혁신입니다.

이케아 이후 별다른 변화가 없던 가구 업계에서, 메이드는 또 한 번의 혁신을 이끌고 있습니다. 임대료와 인건비 대신 유통 마진을 줄여 합리적인 가격은 유지하면서도, 개성 있는 디자인 가구를 도심에 위치한 세련된 쇼룸에서 구매하는 영역을 개척한 것입니다. 가구 업계의 세대를 진화시키면서도 시대의 흐름과 어울리는 비즈니스 모델 덕분에 메이드는 2013년에 프랑스, 이탈리아 진출을 시작으로 영국을 넘어 유럽 전역으로 확장 중입니다. 국경을 넘나들며 메이드가 새로운 연결고리를 만들어 갈수록 디자이너와 고객, 그리고 메이드가 누릴 혜택의 총합은 더 커져갑니다.

LN-CC

14

하나의 매장으로 100개국에 단골을 둔 패션 편집숍
마니아들에겐 국경이 없다

디자이너는 죽어서 이름을 남깁니다. 루이 비통Louis Vuitton, 프랑수아 고야드François Goyard, 잔느 랑방Jeanne Lanvin 등 프랑스 출신 디자이너들은 이미 오래 전에 세상을 떠났지만 루이 비통, 고야드, 랑방이 브랜드로 남아 여전히 이름값을 합니다. 영국 출신의 디자이너들도 예외는 아닙니다. 그중에서도 제대로 이름값을 하고 있는 디자이너로 알렉산더 맥퀸Alexander McQueen을 빼놓을 수 없습니다. '디자이너' 알렉산더 맥퀸은 2010년에 자살로 안타깝게 생을 마쳤지만, '브랜드' 알렉산더 맥퀸은 모회사 케링Kering이 캐시카우로 내세울 만큼 건재합니다. 그가 구축한 스타일이 공고한 덕분입니다. 디자이너로서 그는, 브랜드 정체성을 구축하는 데 핵심적인 역할을 했을 뿐만 아니라 영국을 비롯한 전 세계 패션계에도 영향을 미칠 정도로 존재감이 있었습니다.

첫째, 고급 패션과 하위문화 패션의 경계를 허물었습니다. 고급 패션과 하위문화 패션은 계급사회와 함께 오랫동안 분리되어 있었습니다. 그러다가 1980년대 말에서 1990년대 초에 경계를 넘나드는 재밌는 실험들이 벌어지기 시작했습니

1

[영상] 매번 센세이션을 일으켰던 알렉산더 맥퀸의 패션쇼 하이라이트입니다.
ⓒDazed

2·3

간판도 없고 패션숍이라고 상상하기 힘든 모습의 LN-CC 입구가 스피크이지 바를 연상케 합니다.

다. 알렉산더 맥퀸이 이러한 전환을 이끌어낸 대표적인 디자이너 중 한 명입니다. 해골 등 노동계급이 만든 펑크 문화의 상징을 고급 패션으로 소화해 내면서 기존 패션이 가지고 있던 틀을 깬 것입니다.

둘째, 패션쇼를 옷을 선보이기 위한 수단이 아니라 패션의 일부로 바라보는 관점을 제시했습니다. 그의 쇼는 옷, 무대, 모델, 음악, 퍼포먼스 등을 통합한 종합 예술 작품으로, 그의 쇼에서 옷만을 분리해서 이해하기는 어렵습니다. 옷을 디자인할 때 영감을 준 사건, 소재, 주제가 있다면 쇼의 전체 컨셉과 내러티브로 구현합니다. 예를 들어 1999년 S/S 컬렉션 'No.13'에서는 자동차 공장의 로봇 팔이 하얀 드레스에 페인트를 뿌리는 무대 연출로 인간과 기계의 관계, 나아가 대량 생산되는 몰개성한 패션을 표현했습니다. 또한 1994년 F/W 컬렉션에서는 18세기 스코틀랜드 고산 지방에서 영국 병사들이 스코틀랜드 여성들을 해코지한 사건을 주제로 잔인한 역사의 한 장면을 끄집어냅니다. 직접적인 묘사가 아님에도 찢어진 옷, 휘청이는 워킹, 야성적이고 그로테스크한 분위기만으로 놀라움과 충격을 주었습니다.

그의 영향력을 증명하듯, 2011년에 메트로폴리탄 박물관 The Metropolitan Museum of Art에서 열린 알렉산더 맥퀸 추모 패션쇼 '새비지 뷰티Savage Beauty'는 박물관 역사 상 가장 많은 관객을 동원했습니다. 이 쇼는 이듬해 런던 디자인 박물관 디자인 어워드의 패션 부문 후보로 오르기도 했습니다. 이 어워드는 알렉산더 맥퀸뿐 아니라 비비안 웨스트우드Vivienne Westwood, 셀린느Celine, 이세

1

1
시공간을 초월한 듯한 매장 인테리어가 사람
바깥 세계를 잊고 이 공간에 몰입하게 합니다.
ⓒLN-CC

이 미야케Issey Miyake 등 패션계 명사들의 각축장이었는데, 이 가운데 알렉산더 맥퀸 못지 않은 실험적인 디자인으로 당당히 이름을 올린 매장이 있습니다. 단 하나의 매장으로 100여 개국에 고객을 두고, 매출의 80%가 영국 밖에서 나는 전 세계 패션피플들의 성지 'LN-CC'입니다.

#1. 하나여도 괜찮아, 존재감이 충분하다면

이스트 런던의 달스턴Dalston은 런던의 떠오르는 힙플레이스입니다. 역사적으로 터키, 자메이카, 베트남, 폴란드 등에서 온 이민자들이 자리잡았던 지역이라 문화가 다양하고, 원래 우범 지역이었지만 임대료가 낮은 덕에 젊은 예술가와 소상공인들이 유입되며 지금의 힙스터 동네가 되었습니다. 주차장, 전쟁 때 폭격 맞은 폐건물, 선적 컨테이너 등 달스턴의 매장들은 위치 선정에서도 평범함을 거부합니다. 힙한 분위기를 자랑하는 LN-CC 역시 지하 벙커 같던 낡은 복싱 체육관을 개조해 만들었습니다. 간판도 없고 이렇다 할 매장 입구도 없이 철문만 덩그러니 있습니다. 몇 해 전까지만 해도 100% 예약제였다고 하니 비밀 접선이라도 하는 듯합니다. 여기가 맞나 긴가민가하며 벨을 누르고 기다리면, 잠시 후 한 눈에 봐도 스타일리쉬한 스태프가 마중 나옵니다.

　나뭇가지 덩굴로 우거진 어둠의 통로를 지나면 지금까지의 의구심을 날려버릴 장면이 눈 앞에 펼쳐집니다. 마치 SF 영화 세트장에 온 듯 우주선을 연상케 하는 팔각형 터널이 한 가운데

자리합니다. 이 터널을 중심으로 7개의 공간이 연결되어 있습니다. 4개의 제품 룸, 라이브러리, 프라이빗 클럽, 바 모두 각자의 개성이 있어 여러 개 매장을 돌아다니는 것 같은 착각이 듭니다. 여기에 LN-CC가 직접 리믹스한 앰비언트 음악Ambient music이 고요하면서 몽환적인 분위기를 더합니다. LN-CC는 이 매장 음악을 음원 공유 플랫폼인 사운드클라우드SoundCloud에 올리는데, 이 계정을 8,000여 명이 팔로우하고 있습니다. '스토어 믹스 037 - 보이지 않는 도시Store Mix 037 - Invisible City' 트랙은 재생횟수가 2만 4,000회가 넘을 정도입니다.

알렉산더 맥퀸에게 패션쇼가 옷을 선보이는 이벤트 이상의 의미였듯, LN-CC에 있어 공간은 단순히 제품을 진열하는 곳 이상의 의미를 가집니다. LN-CC의 공간은 무언가를 파는 매장이기에 앞서 예술 작품에 가깝습니다. 그 자체만으로도 충분히 진취적이며, 강력한 에너지와 압도적인 존재감을 뿜어 냅니다. 그래서 비슷한 성향의 패션 매거진, 뮤지션, 부티크 디자이너 브랜드 등이 이벤트 장소로 LN-CC를 즐겨 찾습니다. 그들의 결과물이 더 빛날 수 있는 공간이기 때문입니다. 거의 상시적으로 이벤트가 열리기에 심지어 LN-CC를 '낮에는 매장, 밤에는 클럽'이라고 소개하는 매체가 있을 정도입니다. 이런 저런 이벤트 소식들, 그리고 방문한 사람들이 남긴 사진과 영상은 웹 상으로 퍼지며 입소문을 만들어 냅니다. 단 하나의 매장이지만, 임팩트만큼은 글로벌 기업의 플래그십 매장 못지 않습니다.

#2. 무엇이든 괜찮아, 흥미롭고 실험적이라면

우주에서 온 것만 같은 이 공간에서 과연 무엇을 팔까요? 분명 원래 있던 것들을 골라 모아둔 것일텐데 매장을 둘러보면 마치 창조해낸 것 같은 생경함이 느껴집니다. 큐레이션 방식이 남다르기 때문입니다.

첫째, 팔지 않던 것을 팝니다. LN-CC의 바이어는 관심있는 디자이너들의 패션쇼를 찾아가 무대 뒤의 쇼룸부터 찾습니다. 런웨이에는 공개되지 않은 제품들을 먼저 보고 숨은 진주를 발굴하기 위함입니다. 트렌드와 상업성을 어느 정도 고려해야 하는 런웨이 컬렉션과 달리, 쇼룸에서는 운이 좋으면 디자이너가 개인적으로 정말 만들고 싶었던 옷을 발견할 가능성이 있습니다. 무대 뒤에서와 마찬가지로 무대 위에서도 눈에 띄지 않는 곳에 주목합니다. 그래서 런웨이 패션은 기본이고 런웨이 소품까지 확보합니다. 질 샌더Jil Sander의 바사리 백Vasari bag이 대표적인 사례입니다. 2012년 F/W 패션쇼에 등장한 바사리 백은 상점에서 물건을 담아주는 종이 쇼핑백과 비슷한 반영구 코팅지 가방입니다. 원래 런웨이용으로만 제작한 제품이었는데 LN-CC가 팔겠다고 나서서 이제는 없어서 못 파는 히트 상품이 되었습니다. 비매품에도 상품성을 불어넣는, 그야말로 마이다스의 안목입니다.

둘째, 경계를 없앱니다. 럭셔리 패션과 스트리트 패션의 과감한 믹스매치에서 LN-CC의 감각이 돋보입니다. 라프 시몬스

1
양쪽에 2개의 거울을 맞대어 서로 반사해 비추게 함으로써 끝없이 빨려들어 갈 것만 같은 스니커즈 홀을 완성했습니다.

2
옷이 마치 갤러리의 작품처럼 진열되어 있어 하나의 예술 작품 같습니다.

3
패션 매장과 같은 듯 또 다른 느낌의 프라이빗 바를 두어 다채로운 느낌을 줍니다.

4
희귀 음반 및 서적도 LN-CC가 판매하는 실험적이고 진보적인 패션의 일부입니다.

Raf Simons, 헬무트 랭Helmut Lang 등의 메인 디자이너 브랜드, J.W 앤더슨J.W Anderson 등의 신진 디자이너 브랜드, 반스Vans, 와코 마리아Wacko Maria 등의 스트리트 브랜드를 공간을 구분하지 않고 다함께 진열합니다. 특히 메인 디자이너들 중에서는 스트리트 웨어 스타일을 접목한 브랜드나 컬렉션을 확보해, 스타일 자체에서도 경계를 허무는 제품들을 판매합니다. 이는 공동 창업자이자 크리에이티브 디렉터 존 스켈턴John Skelton의 성향이 십분 반영된 부분입니다. 그는 해러즈Harrods, 셀프리지스Selfridges 등 백화점 바이어를 거쳐 온라인 편집숍 오키니Oki-ni의 크리에이티브 디렉터로 일하며 고급 패션과 스트리트 패션을 동시에 소화하는 감각을 갖추었습니다.

존 스켈턴이 주도하는 큐레이션에는 여성복과 남성복의 경계도 없습니다. 남성복 전문 바이어였던 존 스켈턴이 여자 옷까지 직접 고르고, 여성과 남성 코너를 구분하지 않습니다. 여성복을 중시하지 않아서가 아니라 궁극적으로 젠더리스한 패션을 추구하기 때문입니다. LN-CC의 이러한 편집 스타일을 고려해 J.W 앤더슨이라는 브랜드는 LN-CC만을 위해 그들의 남성복 컬렉션을 여성복으로 새롭게 제작해주기도 했습니다.

셋째로, 옷이 아닌 것도 패션으로 제안합니다. 행위 예술에 가까운 파격 패션으로 유명한 팝스타 레이디 가가Lady Gaga는 패션으로부터 음악과 퍼포먼스의 영감을 받는다고 합니다. 심지어 의상을 위해 음악을 만들기도 한다고 밝힌 적이 있습니다. 어떤 패션이 그에 꼭 어울리는 사운드를 가질 때 그 힘이 더욱 강력해집니다. LN-CC 역시 이 관점에 공감합니다. 그래서 LN-CC의 실험적이고 진보적인 패션과 결을 같이 하는 라이브러리를 매장에 두었습니다. 이 라이브러리에는 아트 서적 전문가이자 돈론 북스Donlon Books의 오너인 코너 돈론Conor Donlon이 큐레이터로 참여해 희귀 음반과 서적을 취급합니다. 또, LN-CC 레코딩스LN-CC Recordings라는 레이블을 출시해 자체 제작한 음반도 판매합니다. 이 곳에서 고객들은 마치 옷을 고르듯 패셔너블한 음악과 책을 쇼핑할 수 있습니다.

Late Night-Chameleon Cafe, 해석하자면 '늦은 밤 카멜레온 같은 카페'라는 의미의 LN-CC는 이처럼 정해진 경계 없이 무엇이든 될 수 있는 공간입니다.

#3. 니치여도 괜찮아, 전 세계를 타깃한다면

LN-CC의 주요 고객층은 패션 중급자 이상입니다. 가격대가 높은 편이라 패션에 그 정도 비용을 지출할 능력과 의지가 있는 사람이어야 하고, 실험적이고 진보적인 컬렉션의 가치를 알아볼 수 있는 안목이 있어야 합니다. 고객층이 두터운 편이 아니기 때문에 사업성을 확보하기 위해서는 LN-CC의 패션 감각에 공감할 수 있는 타깃층을 찾아 전 세계로 눈을 돌려야 합니다. 이를 위해서 온라인만 한 것이 없습니다.

그래서 LN-CC는 매장 런칭과 거의 동시에 '글로벌향' 온라인 사이트를 공격적으로 운영해 왔습니다. 온라인 사이트를 오픈한 2010년에는 국경을 넘나드는 구매가 보편화되기 전이었지만, LN-CC는 타깃의 특성상 온라인을 통한 글로벌 판매가 핵심이라고 판단했습니다. 그래서 초기부터 오프라인뿐만 아니라 온라인 매장에도 신경을 쓴 것입니다.

온라인 쇼핑은 편리함이 생명입니다. 오프라인 매장에서는 익숙하지 않고 새로운 것이 경험으로 받아들여져도, 온라인에서는 그렇지 않습니다. LN-CC는 오프라인 매장에서는 실험적인 시도를 많이 했지만, 온라인에서는 모두에게 절대적으로 도움이 될 수밖에 없는 혁신을 이루어냅니다. 온라인 매장을 '현지화'하며 해외 온라인 쇼핑을 할 때 생길 수 있는 심리적 장벽을 최대한 없앴습니다.

고객들이 사이트에 접속하면 IP로 지역을 파악해 자동으로 언어, 통화 표기, 배송 정보 등을 바꿔서 보여줍니다. 영어, 독일어, 프랑스어, 일본어, 중국어 등 5가지 언어를 지원합니다. 또한 어차피 국경을 넘을 제품들이기에 결제 가격에 관세, 부가세를 미리 포함시켰습니다. 여기에 250유로(약 33만 원) 이상의 결제 건이면 배송과 교환에 따른 추가 금액이 발생하지 않습니다.

결제뿐만 아니라 온라인 마케팅 또한 현지화시키기 위해 고민한 흔적이 엿보입니다. LN-CC 본사에서 마케팅 메시지를 만들어 전 세계에 동일하게 뿌리는 것이 아니라 주요 10여 개국의 트렌드 리더를 홍보대사로 영입해 각종 인터넷 블로그와 SNS 상에서 관련 소식을 전달하게 합니다. 지역의 트렌드 리더가 각자의 스타일로 소화해 팔로워들에게 공유하기에 현지 사람들에게 더 와닿는 마케팅이 가능해집니다.

이 모든 일들이 2010년부터 일찌감치 이루어졌습니다. 매출의 80%가 영국 밖에서 나는 데는 이유가 있습니다.

넘어져도 괜찮아, 정체성만 뚜렷하다면

거칠 것 없이 탄탄대로였을 것 같지만 LN-CC에게도 위기가 있었습니다. 두 자리대 성장률을 지속하다가 2013년에 돌연 파산 위기에 몰립니다. 패션 감각만큼은 탑클래스였지만 경영은 초짜였던 창업자들이 현금 흐름을 잘못 예측해서 생긴 문제였습니다. 디자이너들에게 대금을 지급하지 못하는 등 큰 어려움을 겪다가 도산하기 직전에 이르렀습니다.

워낙 이목이 집중되던 곳이다보니 LN-CC의 위기에 대한 소식이 패션 업계에 빠른 속도로 퍼졌습니다. 이 소식을 듣고 LN-CC를 눈여겨 보던 더 레벨 그룹The Level Group이 2014년에 이들을 인수하였습니다. 더 레벨 그룹은 온라인 서비스 구축을 도와주는 온라인 에이전시입니다. 오프라인 매장까지 함께 인수하는 것이었기에 온라인 에이전시에게는 자칫 무거운 조건일 수 있었는데, 더 레벨 그룹은 LN-CC의 뚜렷한 정체성의 근간이 오프라인 매장에 있다는 것을 이해한 듯합니다.

인수 이후 더 레벨 그룹은 운영 프로세스와 시스템 위주로 개선 작업을 진행합니다. 우선 웹사이트의 UI/UX를 개선하고, 결제 시스템을 개편하며, 고객 센터를 강화하는 등 기본기를 탄탄히 만들어 이용 편의성을 높입니다. 인수 전에는 인플루언서와 미디어를 이용한 핀포인트 마케팅 위주였다면, 인수 후에는 데이터 기반으로 보다 정교하게 온라인 마케팅을 실시합니다. 또, 더 레벨 그룹의 물류센터로 유통을 통합해 규모의 경제를 실현합니다. 마치 인디 가수에게 중견 프로듀서가 붙은 형국입니다.

오늘날 패션 대기업들은 규모는 작아도 색깔이 뚜렷한 브랜드들을 사들이는 데 주저하지 않습니다. 운영이야 축적된 노하우로 고도화시킬 수 있지만, 정체성은 쉽사리 쌓기 어렵기 때문입니다. LVMH가 사실상 서류상으로만 남아있던 로열 패밀리 브랜드 모이낫^{Moynat}을 사들인 것도 이런 맥락으로 해석할 수 있습니다. 더 레벨 그룹과 LN-CC의 관계도 LVMH와 모이낫의 관계와 유사합니다. 체급 차이는 있지만, 정체성이 뚜렷한 개성 있는 브랜드를 품는다는 측면에서는 공통분모가 있습니다. LN-CC는 이대로 사장되기에는 아직 쓸모가 있는 브랜드인 것입니다. 죽어서도 이름을 남긴 선배 디자이너 브랜드들처럼, 과연 LN-CC도 죽지 않고 이름값을 쌓아갈 수 있을지 기대가 됩니다.

바쉬

15

낙서를 할 수 있는 다이아몬드 반지 매장
가격을 낮추면서도 가치를 높이는 비법

다이아몬드 반지는 어쩌다 결혼의 증표가 되었을까요? 여러 가지 설이 있지만 마가렛 F. 브리니그Margaret F. Brinig 교수가 조지메이슨 대학George Mason University에 재직 당시 연구했던 내용이 설득력 있어 보입니다. 브리니그 교수는 1930년대에 다이아몬드 반지의 수요가 급증한 이유를 법률의 변화로 풀어냅니다. 다이아몬드와 직접적으로 관련이 있는 법률이 아니라 결혼에 대한 법원 판결이 바뀐 것이 다이아몬드 반지 수요에 영향을 미쳤다고 설명합니다.

1930년대 이전 미국에서는 파혼할 경우 법적으로 처벌을 받았습니다. 이유는 그 당시 여성의 사회적 지위에 있습니다. 과거에는 여성이 경제 활동을 하기 어려웠던 시대여서 결혼이 생계를 유지하는 중요한 수단이었습니다. 이런 상황에서 결혼 약속이 깨질 경우 여성은 정신적 충격은 물론이고, 경제적 타격을 받았습니다. 게다가 사는 동네를 벗어나 자유롭게 옮겨 다니기도 힘든 환경에서, 당시의 사회 정서상 파혼한 여성이 다시 결혼 상대를 찾을 가능성은 낮았습니다. 그래서 불합리하게 파혼을

당한 여성들은 법적인 배상을 요구할 수 있었습니다.

하지만 1930년대에 이르러 파혼에 대한 판결에 달라졌습니다. 금전적인 보상을 하지 않아도 되는 등 파혼에 따른 남성들의 처벌 수위가 약해졌습니다. 그렇다고 여성의 사회적 지위가 크게 개선된 것도 아니었습니다. 여성이 결혼 과정에서 감당해야 할 리스크가 더 커진 셈입니다. 여성들에게는 대책이 필요했습니다. 이때 여성들이 주목한 것이 다이아몬드 반지였습니다. 법적으로 보호받을 수 없게 되자 스스로를 지키기 위해서 약혼할 때 남성들이 다이아몬드 반지를 선물하도록 했습니다. 약혼에 대한 비용을 발생시켜 청혼을 쉽게 하지 못하도록 만들고 파혼도 신중하게 하도록 조치한 것입니다.

여성들은 법적으로 보호받을 수 없게 되자 경제적 유인 구조로 약혼의 위험성을 낮췄습니다. 자연스러운 수순이지만 또 다른 의문이 남습니다. 비용을 치르게 하는 목적이라면 다른 비싼 보석들도 많았을텐데 왜 하필 다이아몬드였을까요?

다이아몬드가 '융통성의 원칙'을 갖췄기 때문입니다. 비싼 가격은 신중한 선택을 유도하는 효과가 있지만, 보편적인 유인 구조를 만들기 위한 충분 조건은 아닙니다. 고가의 보석만 허용되었다면 소수의 남성만 청혼을 할 수 있을 것입니다. 또한 여성이 원하는 것도 비싼 보석이 아니라 값진 마음입니다. 그래서 남성의 경제적 형편에 맞춰 여성에게 진심을 전할 수 있는 수준으로 가격대를 조정할 수 있어야 유효한 경제적 유인 구조가 될 수 있습니다.

다이아몬드는 캐럿Carat, 색상Color, 커팅Cutting, 투명도Clarity 등 4C의 조합에 따라 가격이 천차만별입니다. 기본적인 가격대가 고가여서 누구나 가치있다고 인지하는 대상인데, 4C의 수준별로 차등적인 가격의 다이아몬드를 주머니 사정에 맞게 구매할 수 있어 결혼의 증표로 널리 확산될 수 있었습니다. 그럼에도 불구하고 다이아몬드 반지는 부담스러운 가격대입니다. 4C에 의해서가 아니라 다이아몬드 반지 자체의 가격대를 낮출 수는 없을까요? '바쉬Vashi'는 또 다른 3C를 통해 영원할 것만 같던 다이아몬드 반지의 가격을 반값에 가깝게 낮추면서도 영원함을 상징하는 다이아몬드 반지의 가치를 지켜냈습니다.

가격을 조종하는 보이지 않는 손

바쉬에서는 고객들이 같은 사양의 다이아몬드 반지를 더 저렴하게 판매하는 곳을 발견하면 그 차액의 2배를 보상해줍니다. 할인마트에서 볼 수 있을 법한 가격 보상 정책을 다이아몬드 매장에 적용한 것입니다. 어느 영역에서나 가격 파괴 모델은 있기 때문에 새롭지 않을 수 있지만, 다이아몬드 산업의 구조를 이해하면 바쉬가 만들어낸 가격 경쟁력이 다르게 보입니다.

다이아몬드의 가격이 비싼 건 수요가 많아서가 아닙니다. 영국의 다이아몬드 회사인 드비어스De Beers가 공급량을 조절해 가격을 높게 유지했기 때문입니다. 1차 세계대전으로 인한 경기 침체기와 1920년대 말 경제 대공황 때 드비어스는 긴축 재정을

1
바쉬의 매장 전경입니다. 런던의 번화가인 피
카딜리 지역에 위치해 있습니다.

통해 확보한 자금으로 파산한 남아프리카의 다이아몬드 광산들을 사들여 가격을 좌지우지했습니다.

2차 세계대전이 끝나고 서아프리카와 시베리아 등에서 새로운 광산이 발견되면서 공급량이 늘어나는가 싶었는데, 희소성을 유지하기 위해 드비어스는 전 세계 다이아몬드 유통량의 80%를 사들여 또다시 가격을 지배합니다. 2차 세계대전 동안 산업용 다이아몬드 수요 증가로 큰 돈을 벌었기에 가능한 일이었습니다.

그러나 1990년대 이후 러시아, 호주, 캐나다 등에서 광산이 추가적으로 발견되며 공급량이 늘어나자 드비어스의 시장 장악력은 약해지기 시작합니다. 1980년대까지 80%가 넘던 점유율은 2010년대 들어 30%대로 급락했습니다. 드비어스는 여전히 주요 사업자이지만 시장 가격을 좌우할 만큼의 영향력은 잃게 되었습니다. 그럼에도 불구하고 다이아몬드 반지의 가격이 떨어지지 않는 건 다이아몬드 유통 시장의 폐쇄성에 있습니다.

생산이 닫혀있던 만큼 다이아몬드를 유통할 수 있는 업자들도 제한적이었습니다. 다이아몬드 산업에 종사한 가문들이 그들만의 리그를 만들어 독점적 유통 구조를 형성했습니다. 그래서 이너 써클이 아닌 이상 다이아몬드를 합리적인 가격에 구매하는 것은 어려웠습니다. 이너 써클이 아닌 유통업자들에게는 신뢰 관계가 충분히 쌓여야만 다이아몬드를 공급했습니다. 누구나 접근할 수 있는 시장이 아니기에 가격이 낮아지기 힘든 구조였습니다.

업력이 없다면 시작조차 하기 어려운 다이아몬드 시장에 바쉬의 창업자 바쉬 도밍게즈$^{Vashi\ Dominguez}$가 뛰어들었습니다. 다이아몬드 시장에 대한 경험이 없던 그는 어떻게 다이아몬드 반지의 가격을 낮췄을까요?

#1. 의존 멈춤이 만든 가격 낮춤(Cost-saving)

다이아몬드 시장에 대한 경험은 없었지만 도밍게즈는 유통 과정이 없는 비즈니스 모델에 대한 관심이 있었습니다. 그는 중국산 가전제품을 직수입해 판매하며 작은 성공을 맛보았고 제조사로부터 직접 조달하는 유통 방식에 매력을 느꼈습니다. 하지만 가전 제품의 가격이 계속해서 떨어지자 가전 매장 운영의 한계를 체감해 가게를 정리하고 다이아몬드 판매로 방향을 선회했습니다. 다이아몬드 유통 구조를 봤을 때 직매입에 따른 효과가 있을 거라 판단한 것입니다.

현실은 녹록지 않았습니다. 그의 사업 구상을 실현하기 위해서는 이너 써클에 들어가 다이아몬드를 직매입할 수 있어야 했는데, 산업 자체가 신뢰 기반으로 움직였기 때문에 다이아몬드 초보 사업자는 아웃사이더일 수밖에 없었습니다. 보통의 경우라면 구조를 탓하며 포기했을 상황이지만 그의 결심은 다이아몬드처럼 단단했습니다. 보석학 수업을 듣고, 인도에 있는 광산 및 세공사들을 찾아가 그들과 함께 시간을 보내는 등 경험을 쌓았습니다. 그리고 다이아몬드가 주로 거래되는 앤트워프로 가서 200여 개가 넘는 업체들을 방문하며 다이아몬드를 팔 딜러를 찾아 나섰습니다.

미팅은 계속해서 불발되었으나, 이재에 밝은 한 딜러를 설득해 물꼬를 텄습니다. 거래처가 생겼어도 초기에는 매입한 다이아몬드를 고객들에게 직접 팔 수 없어 그의 고향인 테네리페 Tenerife의 보석 상인에게 판매했습니다. 스스로가 중간 유통업자가 된 것입니다. 하지만 중간 유통업자가 목표가 아니라 중간 유통업자를 없애는 것이 목적이었기 때문에 경험과 평판이 쌓이고 벨기에와 인도의 도매상들과의 네트워크가 생기자 2007년에 '다이아몬드 매뉴팩처러스Diamond Manufacturers'를 설립하고 다이아몬드 반지를 온라인에서 판매하기 시작했습니다.

이처럼 다이아몬드를 직매입해서 직접 판매한다면 구매 비용뿐 아니라 검증 비용도 줄여 가격을 더 낮출 수 있습니다. 다이아몬드의 가격을 차지하는 보이지 않는 비용이 진위를 검증하는 비용입니다. 유통 경로가 복잡할 경우 다이아몬드가 진짜라는 것을 보증하기 위해 감정을 받습니다. 보통은 GIAGemological Institute of America에서 다이아몬드의 가치를 평가하고 보증해주는데 등급에 따라 53달러(약 5만 8,000원)에서 2,845달러(약 313만 원)의 비용이 발생합니다. 하지만 바쉬는 다이아몬드 원석 딜러로부터 직매입해 직접 팔기 때문에 별도의 감정 비용을 지출하지 않고도 제품을 보증해줄 수 있습니다. 외부에 대한 의존도를 줄일수록 낮출 수 있는 가격의 폭이 커지는 셈입니다.

직매입을 하고 온라인에서 직접 판매를 한 효과가 있었습니다. 특정 브랜드 대비 최대 70%가량 저렴한 가격을 바탕으로 시작한 지 얼마 지나지 않아 아마존 유럽에서 최대의 다이아몬드 주얼리 판매상으로 성장했습니다. 사업이 커질수록 그의 비즈니스 모델을 따라하는 후발 주자들도 늘어났고, 그만큼 경쟁도 치열해졌습니다. 밀레니얼 세대를 중심으로 다이아몬드 반지에 대한 관심도가 낮아지고 인공 다이아몬드 시장이 열리면서 다이아몬드 원석 판매업자들이 배타성을 낮춘 환경도 경쟁을 부추기는 요인이었습니다. 시장이 변했으니, 다이아몬드 매뉴팩처러스도 변화가 필요했습니다.

#2. 가격 낮춤보다 센 취향 맞춤(Customization)

다이아몬드 반지는 필수재가 아니라 감성을 자극하는 제품입니다. 창업자인 도밍게즈는 변화의 필요성을 고민하면서 이러한 다이아몬드 반지의 본질적 속성에 주목합니다. 그렇다고 감성에 소구한다고 해서 리브랜딩을 하면서 다이아몬드 반지의 가격대를 높일 수는 없었습니다. 중간 유통업자를 없애는 비즈니스 모델을 구현하고 싶어서 다이아몬드 관련 사업을 시작한 것이었고, 이미 가격 경쟁이 벌어지고 있는 환경에서 가격을 올리는 건 무리가 있었기 때문입니다.

답답해 보이는 문제에 그는 맞춤화라는 답을 떠올렸습니다. 고객 개개인의 사적인 부분을 더할 수 있다면 감성을 자극할 수 있는 특별한 반지가 될 것이라고 생각한 것입니다. 또한 고객의 목소리에서도 리브랜딩의 힌트를 얻었습니다. 다이아몬드 매뉴팩처러스에서 만드는 반지는 아름답지만 브랜드 이름은 그렇지 않다는 의견에 귀 기울였습니다. 특히 매뉴팩처러스라는 단어가 고객들에게 인공 다이아몬드를 연상시켜 부정적 의미로 해석될 수 있다는 사실을 깨달았습니다. 그래서 변화의 시기에 리브랜딩을 시도하며 '바쉬'로 브랜드 이름을 변경하고 다이아몬드 맞춤 반지를 제공하는 브랜드로 정체성을 재정립했습니다.

> "바쉬에서 당신만을 위한 다이아몬드 약혼 반지를 만들어 보세요. '당신을 위해 이 반지를 만들었어요'가 '당신을 위해 이 반지를 샀어요'보다 언제나 더 특별하니까요."
> (Make your own diamond engagement ring at Vashi. Because 'I made this for you' will always beat 'I bought this for you'.)

바쉬 홈페이지에 들어가면 첫화면에서 발견할 수 있는 문구입니다. 바쉬의 차별적 경쟁력이자, 맞춤형 반지의 의미를 설명하는 것입니다. 바쉬가 전면에 내세우듯, 다이아몬드 반지를 원하는 방식으로 맞추며 고객이 경험하는 감성적 가치는 이미 만들어져 있던 반지를 구매하는 느낌과는 다릅니다. 맞춤형 방식을 통해 가격이 저렴해서가 아니라 취향을 맞출 수 있어서 선택하는 브랜드로 자리매김할 수 있습니다. 저렴한 가격은 덤일 뿐입니다.

온라인 사이트에서 '당신의 반지를 만들어 보세요Make your

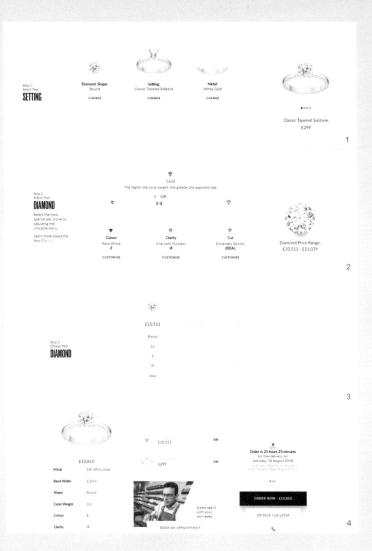

1 · 2 · 3 · 4
온라인 사이트에서 4단계를 거치면 취향에 맞
게 다이아몬드 반지를 맞출 수 있습니다. 고가
의 다이아몬드 반지를 이렇게 구매해도 되나
싶을 정도로 편리하고 간단합니다. ⓒVashi

own' 버튼을 누르면 각자의 취향에 따른 반지를 맞출 수 있습니다. 우선 링의 모양, 다이아몬드 모양 등 반지의 외형적인 스타일을 고릅니다. 이후에는 캐럿, 커팅, 색상, 투명도 등 4C의 수준을 조절해가며 선호와 예산에 맞게 다이아몬드를 선택할 수 있습니다. 각 단계별로 스타일과 다이아몬드를 결정하고 나면 조합에 따라 완성된 반지의 모습과 사양, 그리고 가격을 한눈에 알 수 있게 요약해서 보여줍니다. 세부 가격이 궁금한 고객들을 위해 다이아몬드와 링의 가격을 구분해서 보여주기도 하고, 선택 사항 수정을 통해 다른 디자인과 가격대의 반지도 쉽게 비교해볼 수 있도록 설계했습니다. 또한 무이자 할부와 30일내 무조건 환불 정책을 도입해 결제할 때의 심리적 부담을 줄였습니다. 고가의 다이아몬드 반지를 이렇게 구매해도 되나 싶을 정도로 편리하고 간단합니다.

온라인을 통해서만 판매하던 바쉬는 2017년에 처음으로 런던 피카딜리Piccadilly 지역에 플래그십 매장을 오픈합니다. 매장에서는 온라인에서 하던 과정을 직접 눈으로 보고 체험하면서 반지를 맞출 수 있습니다. 직원과의 상담을 통해 반지 스타일과 다이아몬드 사양을 선택한 후에, 고객들이 지하 1층에 있는 다이아몬드 랩Diamond lab에 가서 다이아몬드 원석을 가공하는 모습을 볼 수 있도록 공간을 설계했습니다. 또한 지하 1층에서는 다이아몬드를 세공하는 동안 커플들이 벽면에 낙서를 하며 메시지를 남길 수 있게 했습니다. 그뿐 아니라 맞춤형 다이아몬드 반지를 제작하고 고객들이 참여하는 모습을 사진과 동영상의 형태로

1 · 2 · 3
지하층에서는 다이아몬드를 세공하는 모습을
보거나 벽면에 낙서를 하며 제작 과정을 즐길
수 있습니다.

기록해줍니다. 제작 과정에서 고객이 참여한다고 해서 가격이 올라가거나 내려가지는 않지만, 참여한 만큼 다이아몬드 반지의 가치는 특별해집니다.

#3. 취향 맞춤을 돕는 지식 갖춤(Consultation)

다이아몬드 반지를 자주 구매하기는 어렵습니다. 보통 약혼이나 결혼 등 인생의 특별한 순간을 기념하기 위해서 찾는 경우가 대다수입니다. 옷이나 화장품처럼 자주 사용하면서 취향을 파악할 수 있는 제품이 아니기 때문에 다이아몬드 반지를 맞추는 일이 낯설 수 있습니다. 게다가 가격대도 높아서 일단 맞춰보고 마음에 안들면 또 살 수도 없는 노릇입니다. 그래서 바쉬에서는 다이아몬드 반지를 처음 경험할 고객들이 취향에 맞는 최선의 선택을 할 수 있도록 다이아몬드 반지와 관련된 정보를 상세하게 제공합니다.

온라인 사이트에는 '전문가 조언Expert advice' 메뉴가 있습니다. 클릭을 하면 다이아몬드에 관한 정보를 주제별로 구분해서 보여줍니다. 예를 들어 '다이아몬드에 대해 배워봅시다Learn about diamonds'라는 주제에서는 다이아몬드의 4C에 대한 기본적인 설명뿐만 아니라 10가지 종류의 다이아몬드 모양에 대한 설명, 각 모양이 탄생한 역사와 얽힌 스토리, 모양 간 미묘한 차이, 잘 어울리는 세팅 등을 일목요연하게 알려줍니다. 또한 '방법을 알려주는 가이드How to guides'라는 주제에서는 다이아몬드 반지의 퀄

1
'수호천사'로 불리는 직원들이 1:1로 충분
한 시간을 들여 다이아몬드 반지를 맞추는
과정을 상담합니다.

2
매장에 재고가 있는 경우 다이아몬드를 눈
으로 확인하며 고를 수 있습니다. 4C에 따
라 다이아몬드가 어떻게 빛나는지에 대해
서도 설명해 줍니다.

리티를 평가하는 방법, 다이아몬드 반지를 관리하는 방법, 가짜 다이아몬드 반지를 감별하는 방법, 다이아몬드를 더 크게 보이게 만드는 방법 등 다이아몬드 반지에 대해 궁금했으나 접하기 어려웠던 정보들을 공유합니다. 다이아몬드에 대한 고객들의 이해도를 높여 맞춤형 반지에 대한 선택을 더 잘할 수 있도록 돕는 것입니다.

　　오프라인 매장에서는 다이아몬드에 대한 고객들의 낯섦을 직원들이 해결해줍니다. 가격을 낮추고 비용을 절감하려는 목적이라면 매장 내에 인력을 최소화해야 하는데 바쉬 매장은 오히려 직원을 넉넉하게 배치합니다. 일상적인 제품을 판매하는 매장 대비 고객이 드문드문 온다는 점을 감안하면 비효율적일 수 있습니다. 하지만 직원들이 충분한 덕분에 다이아몬드 반지를 구매하러 온 고객들은 반지를 맞출 때 직원들과 1:1로 충분한 시간을 가지며 궁금증을 해소할 수 있습니다. 직원들은 '수호천사Guardian angel'와 '연금술사Alchemist'로 구분되는데, 수호천사가 주로 고객들의 상담을 진행하며 연금술사가 지하 1층의 다이아몬드 랩에서 원석을 가공하는 역할을 합니다.

　　온라인과 오프라인을 통해서 다이아몬드 반지에 대한 전문성을 보여주는 것은 고객을 위한 일이기도 하지만, 동시에 바쉬를 위한 일이기도 합니다. 바쉬는 티파니Tiffany나 까르띠에Cartier와 같은 브랜드력을 구축하기 어렵습니다. 업력부터 차이가 나고, 비즈니스 모델의 특성상 가격대도 달라 럭셔리 브랜드로 포지셔닝하기도 어색합니다. 또한 다이아몬드 반지에 대한 낭만을 심어주기 위해 광고 등을 집행할 수도 없는 형편입니다. 이런 상황에서 바쉬는 전문성을 드러내며 나름의 브랜드력을 갖추고 차별적 경쟁력을 확보합니다. 브랜드의 역할 중 하나가 고객들에게 신뢰를 심어주는 것인데, 바쉬는 신뢰를 얻는 수단으로 전통성 대신 전문성을 택한 것입니다.

고객을 움직이는 보이지 않는 마음

바쉬는 온라인 사이트에서 오후 3시까지 반지를 주문하면 고객들이 다음날 오전에 매장에서 찾아가거나, 배송지가 런던일 경우 오후에 받아볼 수 있도록 배송해주는 서비스를 제공합니다. 고가의 보석 제품을 빠르게 제작해주기만 해도 충분한데, 고객의 사정을 헤아린 유연하고 빠른 배송 서비스가 고객의 마음을 더욱 움직이게 합니다.

바쉬 고객의 85%는 약혼 반지로 사용하기 위해 다이아몬드 반지를 구매합니다. 주로 남성들이 프러포즈를 하기 위해 사는 것입니다. 물론 남성들이 계획에 없던 프러포즈를 갑자기 하는 경우는 많지 않지만, 바쁜 일에 치이거나 프러포즈 이벤트로 무엇을 해야 할지 마지막까지 고민하는 경우에는 미리 약혼 반지를 준비하지 못하고 급하게 사야할 때가 생깁니다. 시간에 쫓긴다고 반지 없이 프러포즈를 할 수는 없습니다. 이런 고객들을 위해 바쉬는 배송 서비스를 더 유연하게 운영합니다.

예를 들어, 프러포즈를 하기 위해 발렌타인 데이 전날 독일로 떠나야 했던 고객이 늦은 오후에 급하게 주문한 다이아몬드 반지를 밤새 제작해 비행기에 타기 전에 배송해주었습니다. 규정대로라면 이틀 후에 배송해줘도 괜찮지만, 프러포즈는 해야 하고 비행기 시간은 미룰 수 없어 발을 동동 구르던 고객을 위해 야근을 마다하지 않은 것입니다. 또 다른 한 고객은 다음날 아침에 프러포즈를 하기 위해 오후 3시에 주문을 넣었습니다. 고객이 아침에 매장으로 찾으러 올 수는 없고, 다음날 아침까지 배송하는 것도 불가능해서 바쉬 직원이 저녁 10시에 택시로 배송을 해주었습니다. 택시비가 180파운드(약 27만 원) 나왔지만 고객에게 청구하지 않았습니다. 드문 사례들이긴 하지만, 회사의 박제된 규정보다는 고객의 특별한 순간을 빛내고 싶어 하는 마음을 담았기에 가능한 일입니다.

빛나는 다이아몬드와 달리 다이아몬드 산업은 얼룩졌었습니다. 소수의 이해관계자들이 지배적 영향력을 미치며 보이지 않는 손을 통해 시장을 조종했었습니다. 도밍게즈는 다이아몬드 사업의 초보자로서 얼룩을 지워내고 다수의 고객들을 향해 빛을 비추고 싶었습니다. 과정은 험난했지만, 얼룩을 닦아낸 다이아몬드 반지는 더 빛날 수밖에 없습니다. 바쉬가 다이아몬드처럼 영원하길 꿈꾸는 건 요원하겠지만, 고객을 향한 보이지 않는 마음을 유지한다면 다이아몬드만큼이나 반짝일 수 있을 것입니다.

큐비츠

16

선택이 쉬워지는 비스포크 안경점
원리를 공유하면 복잡성이 줄어든다

"수트는 신사의 갑옷이다."

(The suit is a modern gentleman's armour.)

<킹스맨Kingsman>은 영화를 통해 맞춤형 수트에 대한 품격을 한 단계 끌어올렸습니다. 단지 첩보 요원용으로 특수 제작한 수트여서만은 아닙니다. 몸에 맞게 칼맞춤한 수트가 언제 어디서나 신사의 자신감을 지켜주기 때문입니다. 하지만 수트 하나만으로 주인공들의 신사다움이 완성될 수는 없습니다. 수트를 빛내줄 조연들이 필요합니다. 그래서 <킹스맨>에는 수트뿐 아니라 셔츠, 넥타이, 구두, 시계, 심지어 우산에 이르기까지 영국을 대표하는 비스포크* 브랜드들이 총출동합니다. 헌츠맨 앤 선즈Huntsman & Sons, 턴불 앤 아서Turnbull & Asser, 드레익스Drake's, 마틴 니콜스Martin Nicholls 등 모두 비스포크의 메카 새빌로Savile row 거리의 강호들입니다.

　온라인 럭셔리 쇼핑몰인 미스터 포터MR PORTER는 이 브랜드

---

* 비스포크
'Been spoken for'에서 유래해, 고객이 말하는 대로 만들어주는 한 사람만을 위한 주문형 맞춤 서비스를 뜻합니다.

들을 모아 '킹스맨의 옷장' 컬렉션을 출시하며 숱한 화제를 뿌리기도 했습니다. 이례적으로 킹스맨 컬렉션만을 위한 팝업숍을 열고, 인기에 힘입어 시즌 2를 선보일 정도로 화제를 이어갑니다. 이렇듯 <킹스맨>은 브리티시 헤리티지를 만천하에 알리며 런던이 자타공인 비스포크 강국임을 상기시켰습니다.

런던이 모든 비스포크를 장악하고 있을 것 같지만, 의외로 취약한 분야가 있습니다. 바로 안경입니다. 본래 비스포크 안경도 탄탄한 기반을 가지고 있었으나 NHS[National Health Service]의 무료 안경 배포 정책이 있고부터 힘을 잃기 시작합니다. 이 정부기관에서는 시민의 볼 권리 진작을 위해 1948년부터 1992년까지 40여 년간 7가지 안경을 대량 생산해 시민들에게 무료로 나눠 주었습니다. 무료 안경 치고는 디자인이나 퀄리티가 나쁘지 않아 인기가 높았습니다. 그래서 1990년대까지는 단체 사진을 찍으면 같은 안경을 쓴 사람을 발견하는 게 예사였습니다. 사회 전반에 준 혜택의 총합은 올라갔지만, 안경 장인들은 이 시기를 버티지 못하고 스러져 갑니다.

NHS가 무료 배포를 중단한 후에도 오랜 공백을 회복하기는 쉽지 않았습니다. 그 틈새를 대기업이 파고 들었습니다. 현재 영국 안경 시장의 70% 이상을 스펙세이버스[Specsavers], 부츠[Boots], 비전 익스프레스[Vision Express], 테스코[Tesco] 등 대기업이 차지합니다. 상황이 바뀌자 오히려 소비자들의 고민만 더 늘었습니다. 안경테 디자인의 종류가 늘어나 수백 가지 안경 더미들 속에서 눈을 둘 곳을 잃기 때문입니다. 안경 끼고 벗기를 반복하면서 머릿속은 더욱 복잡해집니다. 얼굴과 어울리는지, 착용감이 좋은지, 가격은 얼마인지, 어떤 색상이 있는지 등을 여러 안경테들과 비교하는 와중에 진이 빠져 버려 안경점 주인이 추천하는 무난한, 혹은 유행하는 안경테로 떠밀리듯 선택하게 됩니다. 매일 사용하는 필수품에다 평균 100파운드(약 15만 원) 이상 소요되는 중대한 결정임에도 불구하고, '과연 이것이 최선인가'하는 의문이 듭니다.

비스포크를 다시 말하다

이러한 문제를 인지하고, 안경 맞추는 경험을 총체적으로 리뉴얼하겠다는 사명 하에 탄생한 비스포크 안경점 '큐비츠Cubitts'가 있습니다. 2014년에 <가디언The Guardian>이 올해의 스타트업으로 선정하고, 2016년에 스타트업 어워즈Startups Awards에서 올해의 리테일 비즈니스상Retail Business of the Year을 수여하는 등 꾸준하게 이목을 집중시키는 곳입니다. 비스포크 매장으로는 드물게 5개의 매장을 운영하고 있습니다.

물론 브리티시 클래식을 빈티지 감성으로 재해석한 독창적인 디자인이라든지, 수고를 아끼지 않는 핸드 메이드 제작 과정 등도 큐비츠의 인기비결입니다. 하지만 단순히 디자인과 퀄리티만으로는 큐비츠의 눈에 띄는 행보를 다 설명하지는 못합니다. 비스포크에 있어 영국만큼 헤리티지를 중시하는 곳도 없는데, 역사와 전통의 장인도 아닌 큐비츠가 어떻게 비스포크 안경의 명맥을 이어갈 수 있었을까요?

큐비츠의 인기를 이해하기 위해서는 비스포크를 보다 폭넓게 접근해야 합니다. 고객이 말하는 대로 만드는 좁은 의미의 비스포크는 물론, 기성품일지라도 본인에게 꼭 맞는 선택을 하도록 도울 수 있으면 그것 역시도 넓은 의미의 비스포크인 셈입니다. 특히 일상의 템포가 빨라져 기다릴 여유가 줄어들고, 넘쳐나는 선택지 속에서 역설적이게도 나만의 제품을 고르기 어려워진 시대로 바뀜에 따라 비스포크를 합리적이고 유연하게 해석할 필요가 생겼습니다.

이러한 변화를 이해하듯 큐비츠는 비스포크 안경을 파는 매장이지만, 비스포크 안경만 팔지 않고 이미 만들어 놓은 안경들도 진열해 둡니다. 만들어진 안경도 판매하기 때문에 형태적으로는 보통의 안경점과 다를 바 없어 보여도, 디테일을 들여다보면 차이가 있습니다. 큐비츠는 고객들이 비스포크로 맞춘 것처럼 각자의 스타일에 맞게 최적의 선택을 할 수 있도록 돕는 요소들을 곳곳에 설계해 놓았습니다.

#1. 안경은 초점이다

큐비츠는 고객들이 각자에게 어울리는 안경을 찾는 데 집중할 수 있도록 선택의 복잡성을 줄여줍니다. 중요한 고려 요소들에 초점을 맞추고, 이를 제외한 요소들은 상수로 고정하거나 없애버립니다. 고객들이 제품을 선택하는 건 권리이지만, 정작 너무 많은 선택권이 주어지면 권리를 행사하지 못하고 혼란에 빠지기 때문입니다.

큐비츠에서 파는 개성 있는 수제 안경은 125파운드(약 19만원)입니다. 안경테는 기본이고 스크래치 방지, 눈부심 방지 등의 기능이 있는 렌즈까지 포함한 가격입니다. 안경값이 비싼 편인 영국에서 가격 경쟁력이 있는 수준입니다. 일부 안경만 해당되는 가격이 아니라 모든 안경의 가격이 동일합니다. 가격의 편차가 없다는 건 고객 입장에서는 합리적 가격만큼이나 큰 효용입니다. 안경을 선택할 때 고려해야 하는 요소 중 하나가 줄어들었기 때문입니다. 고객들은 가격에 신경쓰지 않고 프레임의 디자인과 착용감에만 집중하여 안경을 선택할 수 있습니다.

안경값을 하나의 상수로 고정해 고객들이 가격 비교를 할 필요가 없게 만들었을 뿐만 아니라 프레임의 가짓수를 30개 내외로 제한해 선택의 폭을 좁혔습니다. 신규 프레임 개발이 어려워서가 아닙니다. 오히려 왕성한 생산력이 큐비츠의 특장점입니다. 장인 한 명이 디자인을 전담하는 여타의 비스포크 매장들과는 달리 큐비츠는 설립 초기부터 프레임 디자이너를 적극적으로 늘려왔으며, 매장 지하를 공방이자 연구개발센터로 운영할 만큼 새로운 디자인을 도입하는 데 열성적입니다. 다만, 굴러 들어오는 돌이 있으면 박힌 돌을 빼내는 것이 원칙입니다. 기존 디자인이 새로운 디자인과 비슷하면 교체하고, 비교적 호응이 없는 안경은 솎아내는 등 지속적으로 물갈이를 합니다. 항상 최상의 선택지를 유지함과 동시에 고객들이 늘어난 선택지에 압도되

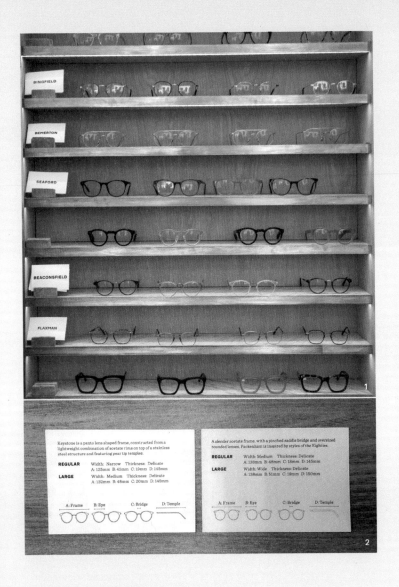

Keystone is a panto lens shaped frame, constructed from a lightweight combination of acetate rims on top of a stainless steel structure and featuring pear tip temples.

| REGULAR | Width: Narrow Thickness: Delicate A: 125mm B: 45mm C: 19mm D: 145mm |
| LARGE | Width: Medium Thickness: Delicate A: 132mm B: 48mm C: 20mm D: 145mm |

A: Frame   B: Eye   C: Bridge   D: Temple

A slender acetate frame, with a pinched saddle bridge and oversized rounded lenses, Packenham is inspired by styles of the Eighties.

| REGULAR | Width: Medium Thickness: Delicate A: 133mm B: 48mm C: 18mm D: 145mm |
| LARGE | Width: Wide Thickness: Delicate A: 138mm B: 51mm C: 19mm D: 150mm |

A: Frame   B: Eye   C: Bridge   D: Temple

1
6가지 기본 요소는 같지만 색상, 소재 등 옵션이 다른 안경을 한 줄에 진열해, 프레임을 정돈되면서도 다채롭게 보여줍니다.

2
6가지 기본 요소를 기준으로 프레임 간 차이를 한눈에 비교할 수 있습니다.

지 않도록 돕기 위함입니다.

프레임의 가짓수는 30개 내외지만, 큐비츠 매장에 들어서면 100개 이상의 프레임이 벽면에 진열되어 있습니다. 각 프레임별로 색상과 소재가 다른 버전들을 함께 진열해두기 때문에 프레임 종류는 30여 개지만 디자인 결과물은 색상과 소재의 버전 숫자만큼 늘어난 것입니다. 자칫하면 프레임의 가짓수를 제한한 효과가 떨어질 수도 있는데, 큐비츠는 30여 종의 모든 프레임에 이름을 붙여 고객들의 시선이 분산되는 것을 막았습니다. 이름표 옆에 해당 프레임의 여러 버전들을 나란히 올려 두니, 고객들은 직관적으로 동일한 프레임이라 인지하고 우선 프레임을 고른 후 색상과 소재의 옵션을 살펴봅니다.

#2. 안경은 과학이다

기타는 6줄만으로 모든 음을 표현합니다. 여기에 기본 코드 몇 가지만 익히면 어지간한 곡은 기타로 칠 수 있습니다. 아무리 복잡한 곡도 쪼개고 쪼개면 결국 기본 구성요소는 같습니다. 이처럼 기본 구성요소를 적절히 조합할 수 있으면 다양한 변주가 가능합니다.

큐비츠에도 기타와 같은 음계와 기본 코드가 있습니다. 30여 가지 프레임이 마치 불현듯 떠오른 창작물처럼 보일 수 있지만, 사실 규격화된 기본 구성요소를 조합한 결과물입니다. 큐비츠는 각 프레임을 전반적 크기, 프레임 너비, 렌즈 너비, 렌즈와 렌즈 사이의 브릿지 너비, 안경 다리 길이, 테의 두께 등으로 정의합니다. 모든 프레임에 대해서 엽서 형태의 설명서를 통해 6가지 요소의 수치를 제공하여 고객이 일일이 껴 보지 않더라도 프레임 간 차이를 비교할 수 있도록 구성했습니다. 제품 개발의 효율성이라는 목적도 있지만 고객들에게 분류의 기준이자 선택의 기준을 제공하는 것입니다. 일관된 기준을 적용하자 30개 내외의 프레임들이 더 또렷하게 한눈에 정리되어 들어옵니다.

여기에 더해 큐비츠의 특제 '안면구조 측정 서비스'가 이러한 분류 체계를 보완합니다. 아무리 명쾌한 기준을 제시하더라도, 정작 본인의 사이즈를 모르면 소용이 없습니다. 그래서 고객들의 얼굴 사진만으로 6가지 기본 요소들을 정확히 측정할 수 있도록, 독일의 안면인식 전문가와 협업해 소프트웨어를 고안했습니다. 툴을 통해 얻은 객관적 수치로 보다 수월하게 안경이 본인에게 적합한지 부적합한지 판단할 수 있습니다.

큐비츠는 오프라인 매장을 오픈하기에 앞서 온라인으로 먼저 비즈니스를 시작했는데, 이와 같은 규격화가 뒷받침되었기에 가능한 일이었습니다. 큐비츠의 출발점이었던 홈 트라이얼 바스켓Home trial basket 서비스는 고객들이 온라인에서 4개의 프레임을 선택하고 이를 배송받아 5일간 무료로 착용해보며 디자인, 착용감, 주변 사람들의 평가 등을 고려해 최종 구매를 결정하는 서비스입니다. 온라인 상에서 주문하지만 규격화된 구성요소, 그리고 안면구조 측정 서비스 덕분에 처음 4개의 후보군을 선택할 때부터 구매 가능성이 높습니다. 그렇지 않았다면 높은 반품

률로 서비스를 운영하기가 어려웠을 것입니다. 온라인에서 이미 효과를 확인한 시스템이었기에, 오프라인 매장을 오픈하면서 더욱 탄력을 받을 수 있었습니다.

#3. 안경은 얼굴이다

사람 얼굴이 다 다르니 안경테도 달라야 합니다. 특히 다인종이 모여있는 도시인 런던이라면 말할 것도 없습니다. 규격화된 선택 기준과 가벼워진 선택지에도 불구하고 잘 맞는 안경테를 찾지 못하거나 이 모든 과정이 번거롭다 느껴지면 비스포크 서비스를 신청하면 됩니다. 고객에게 딱 맞는 안경을 덜 고민하며 선택할 수 있는 궁극적인 방식입니다. 비스포크 서비스는 525파운드(약 79만 원)에서 시작해 소재, 공정의 복잡도 등에 따라 가격이 올라갑니다. 큐비츠의 레디 메이드 안경테와 비교하면 약 4배에 달하는 높은 가격입니다. 그렇다고 레디 메이드 안경테가 수제가 아니라든지, 소재를 허투루 썼다는 이야기는 아닙니다. 4배의 가격차는 개개인의 개성까지 포착해 반영할 만큼 고도로 맞춤화하는 데서 비롯합니다.

　큐비츠는 3단계에 걸쳐 비스포크 안경테를 제작합니다. 우선 안면구조 측정 소프트웨어를 통해 얼굴 형태를 객관적으로 파악합니다. 이 결과 위에 고객과 상담하며 파악한 요구 사항을 얹습니다. 마음에 쏙 드는 안경이 없었던 고객에게는 까다로운 니즈에 맞는 적절한 프레임을 제안해주고, 안경 맞추기가 어

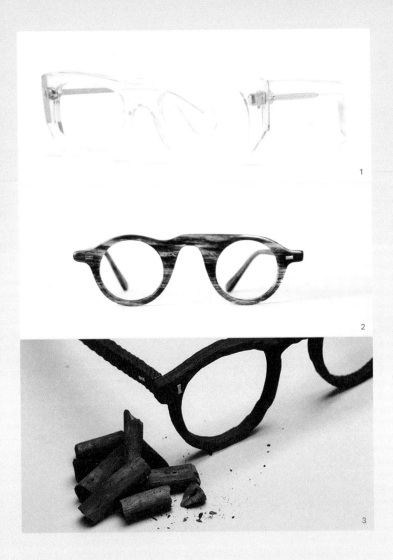

1·2·3
톰 딕슨, 미르자 피트카르, 셀프리지스 호텔
등 아티스트 또는 공간과 꼭 어울리는 안경을
맞춤 제작해 큐비츠의 맞춤화 수준을 증명합
니다. ⓒCubitts

렵고 귀찮아서 신청한 고객에게는 1단계에서 파악한 안면구조를 바탕으로 적합한 프레임을 제시합니다. 큐비츠가 제안한 옵션들을 놓고 세부 디자인을 논의하고 나면 3D 프린터로 실물을 제작해 디자인을 최종 확정합니다. 이후 6주에 거친 제작 여정에 들어갑니다. 이 기간 동안 50단계의 제작 프로세스를 거치게 되는데 퀄리티를 높일 수 있는 방법이 있다면 적극적으로 도입합니다.

예를 들어, 보통의 경우 렌즈 테와 안경 다리가 이어지는 곳을 용접하는 반면 큐비츠는 핀 드릴링Pin drilling이라는 기법을 활용합니다. 핀으로 홈을 파 연결하는 수제 방식으로 공수가 훨씬 많이 들지만 추후에 고객들이 스스로 쉽게 조임 정도를 조절을 할 수 있다는 장점이 있습니다. 또한 콧대에 바로 닿는 패드의 경우, 이를 정교하게 만들기 위해 3D 프린팅을 활용합니다. 고객에게 최적화된 안경을 제공하기 위해 전통과 현대의 방식을 가리지 않고 적용하는 것입니다. 이 집요함 덕분에 얼굴과 하나되는 듯한 안경이 만들어집니다.

수고를 아끼지 않는 과정을 설명하는 것만으로 맞춤화 수준을 증명하기 어려울 수 있습니다. 머리로는 이해할 수 있어도, 직접 맞춰보지 않고서야 마음에 와닿지 않을 수 있습니다. 그래서 큐비츠는 개성 강한 여러 아티스트와 컬래버레이션을 합니다. 확고한 이미지를 가진 아티스트들과의 협업 결과물은 큐비츠의 비스포크 안경이 고객에게 얼마나 잘 어울리는지 짐작케하는 가늠자 역할을 합니다. 예를 들어, 조명 디자이너 톰 딕슨Tom Dixon에게는 빛에 따라 색감이 달라지는 투명한 안경테를, 관습을 깨는 작업을 하는 디자이너 미르자 피트카르Mirja Pit-käärt에게는 양쪽 눈썹 라인이 비대칭인 안경테를 디자인 해줍니다. 사람뿐 아니라 특정 공간에 어울리는 안경테도 제작합니다. 올드 셀프리지스 호텔The Old Selfridges Hotel의 경우 호텔 옆에 있는 셀프리지스 백화점 특유의 검은색 골격에서 영감을 얻어, 구리와 철을 활용해 무광의 나무 느낌을 내는 안경테를 만들었습니다. 이름난 대상과의 컬래버레이션을 하며 브랜드 이미지가 높아지는 건 덤입니다.

철학이 만드는 헤리티지

안경을 맞추는 경험을 재구성한 큐비츠는 또 다른 2개의 렌즈를 가지고 비전을 더 또렷하게 만듭니다. 하나는 킹스 크로스King's Cross, 또 하나는 큐비츠 3형제입니다.

　　2012년에 큐비츠를 처음 시작한 곳은 해리포터가 9와 4분의 3 승강장에서 호그와트행 열차를 탔던 것으로 유명한 킹스 크로스 지역입니다. 과거 비스포크 안경 제작 공방들이 삼삼오오 자리하고 있던 터전이기도 합니다. 큐비츠의 창업자 톰 브로턴Tom Broughton은 마냥 전통만 따지는 고루함은 없으면서 소호Soho나 쇼디치Shoreditch처럼 드러내놓고 과시하지도 않는 킹스 크로스의 절제미가 큐비츠의 안경테에도 녹아들 수 있길 바랐습니다. 그래서 큐비츠의 모든 프레임은 킹스 크로스 일대의 길 이름을 따

만듭니다. 로고 역시 킹스의 K와 교차를 뜻하는 X 모양의 크로스를 조합해 디자인했습니다. 이렇듯 큐비츠에게 킹스 크로스는 브랜드의 원형과 같은 곳입니다.

킹스 크로스가 큐비츠의 지역적 뿌리라면, 큐비츠 3형제는 정신적 지주입니다. 큐비츠 3형제는 빅토리아 시대에 킹스 크로스 지역 등 영국 전역의 주요 건축물을 지은 엔지니어이자 건축가들입니다. 당시 런던의 인구가 급증하며 시민들의 생활이 팍팍해진 상황에서, 그들은 주거지의 공급도 중요하지만 삶의 질을 개선하는 공간이 필요하다고 생각했습니다. 그래서 그래너리 광장Granary Square, 킹스 크로스 역사 등 새로운 시대정신에 부응하면서도 기본에 충실한 건축물을 지었습니다. 또한, 함께 일하는 장인들을 해외로 연수 보내는 등 제작자의 교육과 권리 향상을 위해 힘쓴 인물들로도 유명합니다. 큐비츠 3형제의 철학이 큐비츠가 추구하는 철학과 닮아 있기에 그들의 이름을 따 브랜드를 만들고, 그들의 정신을 현대적인 방식으로 이어가고 있습니다.

직접 쌓아온 역사와 전통이 없다면 큐비츠처럼 지역과 시대가 만들어낸 뿌리를 찾아서 활용하는 것도 방법입니다. 이러한 철학적 토대가 있어야 신생 업체일 때부터 남다른 깊이가 생길 뿐만 아니라 시간의 무게를 더했을 때 새로운 헤리티지가 될 수 있습니다.

로버슨 와인

17

도심 한복판에 있는 와이너리
약점과 강점은 종이 한 장 차이

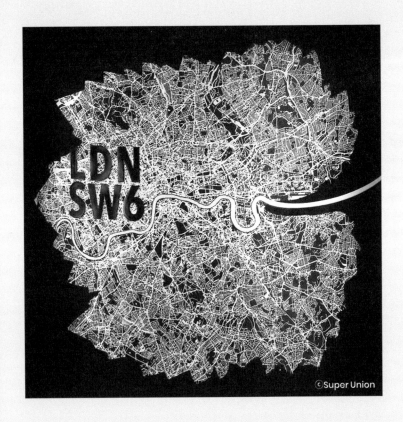

© Super Union

1976년, 프랑스 와인과 미국 와인이 계급장 떼고 한판 붙은 사건이 있었습니다. 블라인드 테스트를 해서 최고의 와인을 선정하기로 한 것입니다. 보통 '계급장 떼자'는 표현은 약자들의 언어입니다. 실력은 있는데 제대로 평가받지 못할 때 공정하게 겨루자고 도발하는 말입니다. 그런데 재밌게도, 와인 종주국인 프랑스에서 먼저 제안을 했습니다. 근본없이 치고 올라오는 미국 와인이 눈엣가시였고, 한번 제대로 눌러 주려고 기획한 이벤트였습니다. 그만큼 질 리가 없다고 자신했습니다. 그럼에도 혹시 모를 가능성에 대비해 프랑스인으로만 심사위원단을 구성하고, 홈그라운드인 파리에서 대회를 개최하는 등 판을 편파적으로 짰습니다. 결과가 뻔한 싸움이라 기자들도 취재를 거절할 정도였습니다. 마침 근처니 공짜 와인이나 마시자는 심산으로 단 1명의 기자만 참석했습니다.

　마음을 비우고 와인잔을 비웠던 그 기자는 와인 업계에 일대 혁명을 가져 올 특종을 따냅니다. 이름하여 '파리의 심판^Judgment of Paris'. 프랑스 심사위원들은 프랑스 와인을 구별해 내지 못하고, 레드와 화이트 와인 모두 미국산 와인에 최고점을 주고 맙니다. 특히 화이트 와인의 상위 랭킹은 미국산이 싹쓸이하다시피 합니다. 와인계의 견고한 유리 천장에 금이 가면서 현장은 큰 충격에 빠졌습니다. 최정상급 와인을 만드는 '테루아르Terroir•'가 오직 프랑스에만 있다고 여겼는데, 인정해야 할 테루아르가 일순간 넓어진 것입니다.

여기엔 미국의 실험 정신이 한 몫을 했습니다. 프랑스 와인은 수백 년 동안 검증에 검증을 거친 전통 양조법으로 만들어지는지라 과감한 시도에 인색합니다. 반면 미국은 전통이나 규제가 약해 미국의 테루아르에 어울리는 양조법을 원점부터 찾아갔습니다. 효모, 교배, 온도 조절, 발효 등에 있어 적극적으로 기술 연구를 하며 품질을 끌어올린 것입니다. 파리의 심판 이후 소비자는 물론 생산자의 인식도 바뀌었습니다. 미국뿐 아니라 호주, 칠레 등 신대륙의 와이너리도 탑클래스 와인을 만들 수 있다는 잠재력을 확인하는 계기가 됩니다.

30년 후인 2006년, 파리의 심판 30주년을 기념해 '런던의 심판'을 열었습니다. 파리의 심판 때 만들어진 똑같은 와인으로 승부하되, 4명의 영국인, 1명의 미국인, 4명의 프랑스인으로 심사위원단을 구성해 공정성을 더했습니다. 프랑스 와인은 오래될수록 깊은 맛을 내기에 이번엔 프랑스의 승리가 유력하다는 것이 중론이었습니다. 하지만 '런던의 심판'도 미국 와인에게 손을 들어주었습니다. 내심 '아무리 그래도 와인은 프랑스지'하며

• 테루아르
와인을 재배하기 위한 여러 조건을 뜻하는 프랑스어로, 주로 자연 환경을 가리키지만 재배, 양조 방식 등 양조자의 특성까지 포함한 포괄적 의미로도 쓰입니다.

다시 경직되려던 와인업계가 경각심을 되찾습니다.

그로부터 약 10년 뒤, 절대강자의 타이틀이 사라진 와인 업계에서 또다시 고정관념에 도전하며 또 다른 런던의 심판을 기다리는 와이너리가 있습니다. 영국 최초의 어반 와이너리Urban winery '로버슨 와인Roberson Wine'입니다.

선입견에 도전장을 내민 와이너리

로버슨 와인은 런던 지하철 노선도의 1존에 있습니다. 런던 중심부인 피카딜리 서커스Picadilly Circus에서 지하철로 20분 걸리는 거리입니다. 와이너리라고 하면 교외로 나가야 할 것 같은데, 가까워도 너무 가깝습니다. 금방 갈 수 있는 장점은 있지만 보통의 와이너리와 달리 이 곳에선 광활한 포도밭을 볼 수는 없습니다. 로버슨 와인은 와인을 만들기만 할 뿐, 포도를 재배하지는 않기 때문입니다. 또한 와인을 대량으로 생산하지 않고 소규모 양조장에서 매년 1,000여 개의 와인만 만듭니다. 대신 와인의 맛을 끌어올리는 데 집중합니다. 2013년에 와인을 만들기 시작한 이후 4년 만에 IWCInternational Wine Challenge로부터 3개의 은상과 1개의 동상을 수상했고, 특히 바쿠스Bacchus 와인 부문에서는 최고 득점을 받을 정도로 탁월한 품질을 인정받고 있습니다.

와인 대회에서 맛을 증명했지만, 영국산 와인에 대한 선입견은 바꾸기 어렵습니다. 영국은 비가 잦아 포도를 재배하기 어려운 환경을 가진 까닭에 와인 생산 강국은 커녕 세계 최대의 와인 수입국입니다. 전 세계 최초로 와인 전문가를 양성하는 교육기관인 마스터 오브 와인^{Master of Wine}을 설립하고, IWC, DW-WA^{Decanter World Wine Awards}와 같은 와인 대회를 크게 여는 등의 노력을 통해 또 다른 영역에서 와인 강대국의 지위를 얻었지만, 생산에서만큼은 열세의 위치에 있습니다.

런던 도심에서 와인을 제조하는 로버슨 와인은 태생적으로 영국산이라는 불리함을 가지고 시작할 수밖에 없습니다. 이를 극복하기 위해 로버슨 와인은 런던 도심에 위치하기 때문에 유리해지는 제조 방식, 포지셔닝, 수익 모델로 승부하여 런더너의 심판을 받습니다.

#1. 포도밭에서 해방되다

한 포도밭에 여러 품종의 포도를 심기는 어렵습니다. 각 테루아르에 최적인 품종이 있기 때문입니다. 그러다보니 포도밭을 소유한 와이너리는 특정 품종의 와인을 주력으로 생산할 수밖에 없습니다. 하지만 로버슨 와인의 원산지는 전 세계의 포도밭입니다. 포도밭을 가지지 않았기에 얻은 자유입니다. 프랑스, 이탈리아, 스페인 등 유럽 각지에서 엄선한 포도를 공수합니다. 손으로 수확하는 포도원만 취급하고, 필요에 따라 포도의 수확 시기도 조절하며, 직접 포도밭으로 가서 재배 및 수확 과정을 살피기도 합니다. 이 깐깐함 때문에 종종 시가의 2배에 달하는 웃돈을 주고 포도를 사올 때도 있습니다. 그 해 작황이 좋지 않으면 해당 품종의 와인 생산을 과감히 포기하는 것도 서슴지 않습니다.

한땀한땀 공수한 포도를 무사히 런던으로 가져오는 것이 다음 단계입니다. 로버슨 와인은 포도 재배지에서 포도를 수확한 직후에 급속 냉동시킵니다. 가장 신선한 상태로 유지하기 위함입니다. 이후 냉동 트럭에 실어 유로스타가 다니는 해저 터널을 통해 운반합니다. 주요 산지인 프랑스의 경우 빠르면 5시간 내로 포도를 직송하며, 먼 곳에서 조달한다고해도 수확 후 제조까지 36시간이 넘지 않도록 배송 스케줄을 관리합니다. 비용이 만만치 않지만 원하는 와인을 만들기 위한 가치있는 투자입니다.

재료를 확보했으니 이제 잘 만들 차례입니다. 어떤 품종을 얼마의 비율로 섞을지, 숙성용 배럴로 무엇을 사용할지, 어느 정도 숙성시킬지 등의 선택지는 열려 있습니다. 프랑스 와인 수준의 퀄리티를 목표로 하되, 자신에게 어울리는 길을 개척하던 초창기 미국 와인을 닮았습니다. 2017년 기준으로 6가지 산지에서 수확한 7가지 포도 품종으로 11가지 와인을 만들어 판매하고 있습니다. 포도밭에서 해방된 덕분에 여러 산지의 포도를 가지고 다양한 종류의 와인을 만들 수 있는 것입니다.

와인을 만들었으니 소비자에게 잘 전달하는 일만 남았습니다. 여기에서 런던에 위치한 로버슨 와인의 강점이 극대화됩니다. 원산지와의 거리만큼이나 소비자와의 거리가 와인 맛에 영향을 미치기 때문입니다. 와인은 발효와 숙성을 통해 이미 화학적 반응이 일어나 포도보다 보관에 민감합니다. 적절한 빛, 온

1·2
로버슨 와인의 라벨에 입힌 포도나무 잎사귀
모양은 각 와인을 만든 포도의 품종에 따라 달
라지며, 나뭇잎 모양 위에 절묘하게 런던 지도
를 입혀 은근히 정체성을 드러냅니다.
ⓒSuper Union

도, 습도를 유지하고 진동이나 충격이 없어야 합니다. 자칫하면 어렵사리 맞춘 균형이 깨지며 맛과 향이 변하고 과하게 숙성되고 맙니다. 아무리 운송을 조심스레 한다고 해도 바다를 건넌 와인은 미세하게라도 맛이 변할 수밖에 없습니다. 와인을 수입해야 하는 영국에서는 어쩔 수 없이 받아들여야 하는 단점입니다. 하지만 도심 속 와이너리인 로버슨 와인은 소비지인 런던과 거리가 가깝기에 런던에서 마실 때 최상의 상태를 맛볼 수 있습니다.

#2. 와인에도 런던 프라이드를

런던의 이미지는 제품과 서비스에 있어 대체로 득입니다. 전통과 왕실을 등에 업은 이미지, 클래식과 모던을 아우르는 감각 등 소비자의 신뢰도가 높습니다. 하지만 와인에 있어서는 독입니다. 런던은 주요 와인 생산지가 아니기에 정통성이나 퀄리티가 떨어져 보일 수 있습니다. 그러나 런던에 위치한 로버슨 와인은 영국산임을 숨기지 않고, 오히려 영국산 와인에 대한 선입견에 정면으로 도전합니다.

로버슨 와인 브랜드 중 하나인 '런던 크뤼London Cru'의 SW6 와인병 라벨에는 포도나무 잎사귀가 그려져 있습니다. 하지만 자세히 들여다보면 런던 지도입니다. 나뭇잎의 줄기가 런던을 가로지르는 템스 강 물줄기와 기가 막히게 매치됩니다. 더 자세히 들여다보면 와인 종류마다 런던의 모양새가 조금씩 다릅니다. 와인에 쓰인 포도 품종에 따라 그 품종의 잎사귀를 형상화해 라벨에 디자인했기 때문입니다.

로버슨 와인의 런던 앓이는 여기서 그치지 않습니다. 포도 품종과 발음이 비슷한 런던 거리의 이름을 따서 와인의 이름을 짓습니다. 이를테면 시라Syrah 와인은 시드니 스트리트Sydney Street 로, 샤르도네Chardonnay 와인은 샬롯 스트리트Charlotte Street로, 피노 누아Pinot noir 와인은 핌리코 로드Pimlico Road로, 바쿠스 와인은 베이커 스트리트Baker Street로 부릅니다. 런던에 위치한 와이너리라는 것을 모르는 사람들도 런던과 연관이 있으리라는 짐작을 할 수 있을 정도입니다.

로버슨 와인이 이런 라벨과 이름을 갖게 된 데는 사연이 있습니다. 영국에서 생산되는 모든 식품은 UK FSAFood Standards Agency의 기준을 따라야 하는데, UK FSA는 주류에 있어 재료의 원산지와 세부 종류를 제품 전면에 표기하는 것을 금합니다. 맥주 등 다른 주류들은 큰 문제가 아니지만, 산지와 품종으로 매력을 발산하는 와인에는 치명적인 규제입니다. 그래서 로버슨 와인은 제약을 극복하면서도 정보를 간접적으로 전달하기 위해 포도 나무 잎사귀를 본따 라벨을 디자인 한 것입니다. 이 디자인으로 제품 간 통일성뿐 아니라 확장성도 확보했습니다.

이어 영국에서 재배한 포도를 사용해 와인을 만들며 영국산의 순도를 높여갑니다. 2014년에 영국 켄트Kent 지역의 바쿠스와 남프랑스 루시용Roussillon 지역의 샤르도네를 섞은 것이 첫 시도였습니다. 이후 2016년에는 영국의 켄트와 에섹스Essex 지역에서 공수한 바쿠스 포도만으로 베이커 스트리트 2016을 주조합니다. 앞서 잠깐 소개했듯이, 이 와인은 순수 영국산의 열세를 극복하고 IWC에서 최고의 바쿠스 와인으로 선정되었습니다. 성원에 힘입어 베이커 스트리트 와인은 2014년 대비 생산량을 2배로 늘렸습니다.

영국에서 생산하는 것을 부끄러워하지 않고 당당히 런던의 정체성을 드러낸 덕분에 신생 와이너리임에도 불구하고 여러 곳에서 소개됩니다. 영국의 대형마트 막스 앤 스펜서Marks & Spencer가 '런던의 정신Spirit of London'이라는 주제로 여러 카테고리의 제품을 모아 행사할 때 로버슨 와인이 당당히 와인 부문의 자리를 빛냈습니다. 또한 고급 레스토랑에서도 와인 메뉴에 아예 영국 와인 섹션을 만들어 로버슨 와인을 추천합니다. 포지셔닝이 뚜렷하니 있어야 할 자리도 명확해집니다.

#3. 황금알을 낳는 '와인창고 대개방'

와이너리에는 농번기와 농한기가 있습니다. 농한기에는 사람도 쉬지만 와인도 쉽니다. 포도 수확 후 와인을 만들고 나면 6~18개월 동안의 긴 숙성기간을 갖습니다. 넓은 공간에 꽤 오랜 시간 동안 현금화되지 않은 재고가 쌓여 있는 것입니다. 이 공백기에 와이너리 투어가 제법 효자 노릇을 합니다.

그런데 와이너리는 큰 마음 먹고 가야 하는 곳입니다. 대개 지방에 있어 하루를 통째로 비우거나 근처 숙소에서 1박 이상을

1·2
오크 배럴과 탱크가 있는 와인 창고는 와이너
리 투어, 프라이빗 파티 등 이색 이벤트 장소
로도 활용됩니다.

3·4
와인 창고 내 시음할 수 있는 공간을 아늑한 거
실처럼 꾸며두었습니다.

해야 합니다. 또한 상대적으로 교통편이 좋지 않아 직접 운전해서 가면 와인 시음을 마음껏 못하는 단점이 있습니다.

로버슨 와인은 이러한 와이너리 투어의 진입장벽을 확 낮춥니다. 도심에 위치해 시간을 크게 절약해 주는 것은 물론, 금전적 부담까지 덜어줍니다. 가장 저렴한 테이스팅 코스가 1시간에 10파운드(약 1만 5,000원)입니다. 주말뿐 아니라 주중 저녁 시간대에도 투어가 있어 퇴근하고 들를 수도 있습니다. 신규 출시 와인, 지역별 와인, 계절에 어울리는 와인, 고가의 와인 테이스팅까지 테이스팅 코스의 주제도 다채롭습니다. 와인을 직접 만들어 보고 싶은 사람들을 위한 1일 투어도 있습니다. 와인 메이커 포 어 데이Wine maker for a day라는 이벤트로 매달 1회, 5시간 동안 진행합니다. 10명의 소수 인원으로만 진행하며, 이 투어의 경우 참가비는 130파운드(약 20만 원)입니다. 특히 로버슨 와인은 포도 재배를 하지 않으니 농번기가 없어 와이너리 투어를 상시적으로 진행할 수 있습니다.

또한 로버슨 와인은 프라이빗 이벤트를 위한 공간으로도 인기입니다. 로버슨 와인에서 직접 주최하는 퍼블릭 이벤트가 와인 자체에 집중하는 것이었다면, 프라이빗 이벤트는 공간 자체의 의미를 한층 강조합니다. 와인 배럴과 탱크로 둘러싸인 공간에서, 오크 배럴을 테이블 삼아, 아직 시중에 나오지 않은 와인을 마시며, 가까운 사람들과 즐기는 파티를 도심 속에서 할 수 있다는 점이 매력 포인트입니다. 영국 공간 대여 플랫폼 베뉴 스캐너Venue Scanner가 2017년 약혼 파티 장소 상위 10개 중 하나로 꼽기도 했습니다. 개인 고객뿐 아니라 직원 단합 대회, 신상품 런칭 등 기업 고객용 행사로도 적격입니다.

런던이라는 테루아르를 창조하다

오늘날 와인 업계는 네고시앙Negociant을 빼고 이야기할 수 없습니다. 네고시앙은 프랑스어로 '상인'이라는 뜻입니다. 일종의 와인 도매상인데 단순 유통을 전담하는 중개인과 달리, 네고시앙은 자체 브랜드를 달고 판매합니다. 주요 포도 생산지인 프랑스 부르고뉴Bourgogne의 경우 약 113개 유명 네고시앙 업체가 부르고뉴 와인 생산량의 80%를 유통합니다. 이쯤 되면 마치 샤토Château나 도멘Domaine*이 네고시앙의 OEM인 듯한 인상을 줍니다. 최근에는 네고시앙이 영역을 넓혀 생산 과정에도 관여합니다. 거래 농가의 포도나 발효만 끝난 포도액을 사서 직접 양조하기도 합니다. 더 나아가 포도밭을 소유하고 직접 재배하는 경우도 있습니다. 이렇게 생산 라인을 갖춘 생산 공장 중심형 네고시앙은 보통 상위 10%의 대형 네고시앙입니다.

사실 로버슨 와인은 업태만 보면 대형 네고시앙과 비슷합니다. 실제로 로버슨 와인은 자체 와인을 만들기 전에 영국의 와인 도매상으로 시작했습니다. 말하자면 중소 규모의 네고시앙이 대형 네고시앙이 하는 사업 영역으로 진출한 셈입니다. 다만 '생산시설의 위치'에서 기존 대형 네고시앙과 차이가 납니다. 보

• 샤토, 도멘
포도 재배자를 일컫는 말입니다.

통의 경우 대형 네고시앙들은 주요 산지 주변에 양조 시설을 둡니다. 샤토와 도멘이 하던 일의 일부 혹은 전부를 그들이 직접 대체함으로써 그만큼의 수익을 가져오기 위함입니다. 하지만 로버슨 와인은 주요 산지와 상관없는 곳에, 그것도 와인 생산의 황무지라고 불리는 런던에 와이너리를 두었습니다. 이로써 샤토와 도멘은 물론 기존의 대형 네고시앙조차 할 수 없는 일을 중소 규모의 로버슨 와인이 해내며 부가가치를 창출합니다.

로버슨 와인이 전 세계 최초의 어반 와이너리는 아닙니다. 어반 와이너리는 뉴욕, 몬트리올 등의 주요 도시에서 성황리에 운영 중입니다. 하지만 같은 어반 와이너리라고 해도 힘 주는 지점이 모두 다릅니다. 뉴욕의 브루클린 와이너리Brooklyn Winery는 인디 작가들을 위한 갤러리를 운영하며 지역 특유의 예술성과 빈티지함을 결합했고, 몬트리올의 베르세이Versey는 맥주처럼 케그Keg 단위나 탭으로 판매하며 친환경을 내세웁니다.

그중에서도 로버슨 와인에 주목하는 이유는 이 곳이 단순히 런던 최초의 어반 와이너리이기 때문이 아니라, '런던 와인'이라는 새로운 길을 개척해 나가고 있기 때문입니다. 프랑스의 특정 샤토와 도멘을 이야기하면 그 포도원의 테루아르를 떠올리듯, 런던 와인하면 떠오르는 '런던 테루아르'를 로버슨 와인이 만들어 가고 있는 것입니다. 로버슨 와인의 성공에 힘입어 이스트 런던East London에도 레니게이드 런던 와인Renegade London Wine이라는 또 다른 어반 와이너리가 생겼습니다. 런던 테루아르의 토양이 비옥해지고 있는 셈입니다. 앞으로 로버슨 와인이 어떤 흐

름을 만들어갈지, 10년 후의 로버슨 와인에 대한 런던의 심판은
어떨지 기다려집니다.

시티즌M 호텔

18

포기한 만큼 인기를 얻은 호텔
경쟁자를 모르고도 경쟁력을 갖는 비결

비즈니스 클래스 항공권을 싸게 살 수 있는 방법이 있습니다. 항공사 마일리지를 이용하거나, 무료 업그레이드를 기대하는 등의 뻔한 방법이 아니기에 더 솔깃합니다. 루프트 한자, 캐세이 퍼시픽, 에어 뉴질랜드 등 30여 개의 항공사에서 운영하고 있는 온라인 업그레이드 경매에 참여하는 것입니다.

　　방식은 간단합니다. 우선 출발일로부터 7일 전까지 이코노미 클래스 항공권을 구매합니다. 업그레이드 목적이기 때문에 확약된 티켓이 있어야 합니다. 예약 완료 후 항공사 웹사이트의 예약 정보 페이지에서 업그레이드를 신청합니다. 이 때 비즈니스 클래스로 업그레이드가 된다면 추가로 지불할 의향이 있는 금액을 입력할 수 있으며, 항공사는 예약 상황을 토대로 당첨 가능성을 5단계로 나누어 알려줍니다. 경매 신청 페이지에서 제공하는 시뮬레이션 현황을 보고 최종 금액을 제안해 경매에 참여하면 출발일로부터 3~7일 전에 높은 금액을 부른 고객 순서대로 비즈니스 클래스의 남는 좌석을 배정받을 수 있습니다.

　　항공사는 추가 수익을 올릴 수 있으며, 고객은 지불 가능한 수준에서 비즈니스 클래스를 탈 수 있는 혜택을 누립니다. 모두가 윈윈하는 모델이지만, 특히 고객 측의 만족도가 더 높습니다. 고객 스스로가 책정한 가격이기에 업그레이드 받으면 아까울 게 없고 업그레이드가 안돼도 아쉬울 게 없습니다. 이코노미 클래스 대비 3배가량 비싼 좌석이라 엄두도 못냈는데 각자의 주머니 사정에 맞는 범위에서 탈 수 있는 기회가 생기니 여행의 설렘이 커지는 일만 남습니다.

온라인 업그레이드 경매는 항공권의 경제 논리를 흔드는 모델입니다. 더 넓은 좌석에는 그에 비례하는 비싼값을 치뤄야 한다는 가격 책정 기준에 금이 가기 때문입니다. 고객 입장에서는 마다할 이유가 없는 모델이지만 경매의 특성상 모두가 혜택을 누릴 수는 없습니다. 그래서 경매에 참여한 대부분의 고객들은 희망고문 끝에 결국 이코노미 클래스를 탑니다.

하지만 런던으로 떠나는 퇴사준비생이라면 실망하기는 이릅니다. 5성급과 진배없는 호텔에 3성급 호텔의 가격으로 머무르면서 이코노미 클래스를 탈 수밖에 없었던 아쉬움을 달랠 수 있기 때문입니다. '시티즌M 호텔CitizenM hotel'을 예약하면 경매의 불확실성에서 벗어날 수도 있고, 업그레이드를 위해 추가 요금을 낼 필요도 없습니다.

호텔의 경제학을 외면한 호텔

브랜드, 호텔 위치, 서비스, 투숙 시기, 예약 시점, 예약율 등 호텔의 가격을 결정하는 변수는 다양합니다. 하지만 가격 체계의 중심을 잡고 있는 건 호텔의 등급입니다. 5성급 호텔은 4성급 호텔보다 더 나은 공간과 서비스를 제공하고, 더 높은 가격을 받습니다. 반대로 등급이 내려갈수록 공간과 서비스의 수준이 낮아지며, 호텔 가격은 그만큼 저렴해집니다. 어쩌면 경제 논리에 따른 당연한 결과입니다.

시티즌M 호텔의 공동 창업자 마이클 레비Michael Levie는 의심의 대상이 아니던 호텔의 경제학에 의문을 품었습니다. 원래부터 호텔 사업에 관심이 있었던 게 아니라 멕스Mexx라는 의류 회사를 운영하면서 겪었던 딜레마 때문입니다. 의류 회사다 보니 디자이너들이 시장조사를 위해 해외 패션 박람회에 갈 일이 잦았는데, 홀리데이 인Holiday Inn 같은 비즈니스 호텔을 이용하자니 디자이너들의 만족도가 떨어졌고, 그렇다고 5성급 호텔에 머무르기에는 회사의 예산이 부족했습니다.

5성급 호텔을 3성급 호텔 가격에 이용할 수는 없을까요? 시티즌M 호텔의 출발점입니다. 기존 호텔 사업자들에게는 낯선 질문이었지만, 의류 회사의 대표에게는 날선 고민이었습니다. 5성급 호텔의 요소를 그대로 운영하면서 3성급 호텔의 가격을 받는다면 손해가 날 것이 뻔하므로 그는 5성급 호텔에서 일부 요소들을 빼고자 했습니다. 하지만 사람마다 5성급 호텔을 이용하는 이유가 달라서 요소를 제거하는 기준을 세울 필요가 있었습니다. 호텔을 재구성하기 위해 그가 주목한 건 타깃입니다. 타깃을 명확하게 설정하고 그들이 원하는 것만 남기고 불필요한 것들을 덜어내면 호텔의 경제학을 외면하는 호텔을 만들 수 있을 거라 생각했습니다.

시티즌M 호텔의 이름은 '자유롭게 이동하는 시민Mobile Citizen of the World'인 모바일 시티즌을 뜻하며, 이 호텔이 타깃하는 고객층이기도 합니다. 그래서 출장이나 주말 여행을 자주 다니는 모바일 시티즌들이 5성급 호텔을 선택할 때 고려하는 요소들만 유지하고 나머지는 없애서 가격을 3성급 호텔 수준으로 낮췄습니다. 그렇다면 모바일 시티즌들은 시티즌M 호텔에서 어떤 다른 경험을 할 수 있는 것일까요?

#1. 선택할 권리가 만드는 객실의 가치

시티즌M 호텔에서는 체크인을 스스로 해야 합니다. 호텔 가격을 낮추기 위한 자연스러운 수순입니다. 하지만 고객들이 불편함보다는 만족감을 더 크게 느낄 수 있도록 설계했습니다.

체크인에 걸리는 시간을 줄이는 건 기본입니다. 비행기를 타고 온 여행객들은 한시라도 빨리 방을 배정받아 짐을 풀고 쉬고 싶어 합니다. 그래서 체크인하러 줄을 서거나 체크인 절차가 까다로워 늘어지는 시간을 단축시켰습니다. 보통의 호텔 체크인 가운터에는 3명 내외의 담당자들이 있는 반면 시티즌M 호텔 로비에는 10대 정도의 체크인 키오스크가 있기에 10명이 동시에 체크인 하더라도 대기시간이 없습니다. 또한 체크인할 때 필요한 정보도 최소한으로 받아 3분 내로 체크인할 수 있도록 만들었습니다. 이 시간마저도 줄이고 싶은 고객들을 위해 온라인 체크인 서비스도 제공합니다. 호텔 도착 전에 온라인으로 체크인이 가능하며, 이 때 받은 QR 코드를 체크인 키오스크에 인식시키면 바로 체크인할 수 있습니다.

시간 단축 효과보다 더 강력한 건 '객실 선택권'입니다. 고객들은 셀프 체크인을 할 때 남아있는 객실 현황을 보고 각자가 원하는 위치의 방을 선택할 수 있습니다. 고층부와 저층부, 그리고 타워 오브 런던 뷰나 트리니티 광장 뷰 등 전망과의 조합 중에서 선호를 클릭하면 방이 정해집니다. 기준을 알 수 없었던 방 배정 과정을 투명하게 공개하는 방식은 셀프 체크인에 당위성을 부여합니다. 비용 절감을 위해 체크인의 수고를 고객에게 떠넘기는 게 아니라 고객 만족을 위해 객실 선택의 주도권을 위임하는 것이기 때문입니다.

객실 선택권은 셀프 체크인에 대한 관점을 바꿔주기도 하지만, 객실에 대한 가치도 높여주는 역할을 합니다. 시티즌M 호텔의 객실은 모두 똑같습니다. 방의 크기도, 창문의 크기도 동일하며 트윈 베드는 없고 킹사이즈의 베드로 통일해 심플하게 구성했습니다. 호텔을 설계하고 운영할 때 비용을 절감하기 위해서입니다. 대신 모바일 시티즌들이 5성급 호텔을 이용할 때 중요시 여기는 요소인 쾌적한 침대, 수압 높은 샤워기, 숙면을 위한 방음시설은 강화했습니다. 모든 방이 같아 자칫 단조로울 수 있는 구성에 객실 선택권이 생기를 불어넣습니다. 특히 시티즌M 타워 오브 런던점의 경우 타워 오브 런던 뷰는 19파운드(약 2

1
시티즌M 호텔 타워 오브 런던점 전경입니다.
타워힐 지하철역과 연결되어 있고, 타워 오브
런던 맞은 편에 위치해 있습니다.

2

2
[영상] 시티즌M 타워 오브 런던점에서 타워
오브 런던 뷰 방을 선택하면 볼 수 있는 풍경
입니다.

1
셀프 체크인 카운터입니다. 10명의 고객이 동시에 체크인할 수 있으며, 절차를 간소화해 체크인하는 데 3분이 채 걸리지 않습니다.

2
남은 객실 중에서 선호에 따라 방을 선택할 수 있습니다. 베일에 가려 있던 객실 배정의 과정을 투명하게 공개해 고객들이 자신이 원하는 방을 선택했다는 기분을 느낄 수 있도록 합니다.

3
[영상] 건물 중앙의 빈 공간에서 우산으로 키네틱 아트를 연출합니다. 엘레베이터에서 내리면 키네틱 아트를 감상할 수 있습니다.

4
7층에도 음료나 주류를 마시며 미팅 혹은 일을 할 수 있는 공용 공간이 있습니다. 이곳에서는 타워 오브 런던을 조망할 수도 있습니다.

만 9,000원), 트리니티 광장 뷰는 9파운드(약 1만 4,000원)의 추가요금
을 내야 예약 시점에 뷰를 확정할 수 있는데 체크인할 때 이 두
방향의 뷰가 남아 있다면 공짜로 업그레이드 받는 기분도 듭니
다. 꼭 추가 요금을 내야하는 뷰가 아니더라도 고객들은 남은 객
실 중에서 가장 좋은 방을 선택했다는 뿌듯함이 들며, 스스로 선
택한 방이기에 같은 방이어도 만족도가 높아집니다.

#2. 예술적 감각이 만드는 호텔의 가치

시티즌M 호텔 로비는 감각적입니다. 호텔이 아니라 갤러리에
왔다는 착각이 들 정도입니다. 아티스틱하고 아이코닉한 비트
라Vitra의 가구들로 공용 공간을 구성했고, 크고 작은 예술 작품
과 큐레이션된 책들로 벽면을 장식했으며, 여행 느낌이 나면서
도 다소 긱Geek한 소품들을 곳곳에 배치했습니다. 여기에 힙한
음악을 곁들여 감각적 요소를 끌어올렸습니다. 심지어 시티즌
M 호텔 타워 오브 런던점의 경우 ㅁ자 형태로 설계한 건물 중앙
의 빈 공간에 우산처럼 생긴 오브제로 키네틱 아트를 할 수 있도
록 만들었습니다. 3성급 호텔의 가격으로 운영하려면 초기 투자
를 줄여야 수지타산이 맞을텐데, 이렇게까지 돈과 공을 들여 로
비 공간을 예술적으로 꾸민 이유는 무엇일까요?

　　공동 창업자인 라탄 차다Rattan Chadha가 컨템포러리 아트 뮤
지엄을 만들고 싶어 할 정도로 디자인과 예술에 관심이 많아서
이기도 하지만, 무엇보다 비즈니스와 상관관계가 있기 때문입

1·2·3·4·5
아티스틱하고 아이코닉한 가구들과 조명들로
공용 공간을 꾸며 감각적인 분위기를 연출했
습니다. 모바일 시티즌들은 이 공간에서 서로
어울리거나 코워킹을 합니다.

니다.

고급스러운 로비는 모바일 시티즌이 5성급 호텔을 선택하는 이유 중 하나입니다. 그래서 객실은 모듈화를 통해서 심플하게 통일했지만 로비에는 과감한 투자를 했습니다. 또한 모바일 시티즌에게 더 어울리도록 현대적인 분위기를 연출했고, 모바일 시티즌들의 특성을 반영해 로비에서 서로 어울리거나 코워킹을 할 수 있도록 구성했습니다. 객실뿐만 아니라 로비가 호텔을 선택하는 요소로서 중요한 역할을 하는 것입니다.

게다가 로비를 고급스럽게 만들면 레스토랑이나 바의 가치도 덩달아 높아집니다. 보통은 중요한 미팅이나 데이트가 있을 때 5성급 호텔의 레스토랑이나 바를 이용합니다. 고급스러운 분위기에서 환대했다는 느낌을 줄 수 있기 때문입니다. 그래서 5성급 호텔의 레스토랑이나 바는 객실 이외의 추가 수익원입니다. 반면, 3성급 호텔들에게 레스토랑과 바는 투숙객들을 위한 부가 서비스이며, 운영비 문제로 이마저도 최소한으로 운영하는 곳들도 있습니다. 시티즌M 호텔도 3성급 호텔로 인식되었다면 같은 이슈를 겪었을 것입니다. 하지만 감각적 분위기의 로비가 레스토랑과 바를 5성급 호텔처럼 만듭니다. 로비와 연결된 레스토랑과 바는 미팅이나 데이트를 위해 외부인들도 드나드는 핫플레이스가 되었고, 호텔이 추가 수익을 올리는 데 도움을 줍니다.

그럼에도 로비에 대한 초기 투자가 사업적으로 부담이 되지 않을까요? 객실을 들여다보면 근거있는 투자라는 것을 알 수 있습니다. 시티즌M 호텔의 객실 크기는 14m²로, 5성급 호텔의 절반 크기이며 보통의 비즈니스급 호텔과 비교해도 작습니다. 지역의 땅값, 수요 등의 변수를 최소화하기 위해 사우스워크Southwark 지역에 한정하여 객실 크기를 조사해보면, 유럽 비즈니스 호텔의 대명사인 이비스 호텔이 16.4m²로 시티즌M 호텔과 2.4m² 차이가 납니다. 큰 차이 아닌듯 보이지만, 호텔 전체를 고려하면 계산이 달라집니다. 이비스 호텔이 100개의 객실을 만든다고 했을 때, 같은 공간에 시티즌M 호텔은 117개의 객실을 만들 수 있습니다. 객실 매출을 17%가량 높일 수 있다는 뜻입니다. 힙한 로비가 작은 객실의 단점을 상쇄하기 때문에 가능한 일입니다.

#3. 적당한 거리가 만드는 경험의 가치

로비의 격은 높였지만, 격식은 배제했습니다. 시티즌M 호텔에는 체크인 데스크가 없는 것은 물론이고 컨시어지, 벨보이, 도어맨, 룸서비스 등도 없습니다. 주도적이고 능동적인 모바일 시티즌에게 과도한 서비스는 오히려 불편합니다. 그들은 개개인의 이름까지 불러주지 않아도 직원들의 친절한 응대면 만족스럽고, 잦은 여행으로 짐이 가벼워 벨보이의 도움을 받지 않아도 괜찮습니다. 시티즌M 호텔 유니폼을 입고 정해진 자리 없이 돌아다니는 '앰배서더Ambassador'로도 충분합니다. 앰배서더는 셀프 체크인을 낯설어하거나 도움을 필요로 하는 고객들의 불편함을 해결해줍니다.

고객 경험을 더 쾌적하게 만들기 위해 직접적인 상호 교류는 줄인 대신, 간접적인 커뮤니케이션은 늘렸습니다. 호텔 내부 곳곳에 '시티즌M이 말하길 CitizenM says'로 시작하는 문구를 통해서 친근함과 유쾌함을 채웠습니다. 메시지를 보면 고객들의 여행 경험을 배려하는 마음을 읽을 수 있습니다.

출입카드에는 '사진을 찍어가는 만큼이나 많은 추억담을 가지고 집으로 돌아가시기 바랍니다'라고 적혀 있어 여행의 의미를 되새기게 합니다. 방안의 펜에는 '이 펜을 훔쳐가서 사랑하는 사람에게 편지를 써보세요'라고 적어 놓으며 아낌없이 고객에게 펜을 내어줍니다. 펜과 함께 놓여있는 노트에는 '위대한 소설, 예술 작품 또는 예상 밖의 시들 모두 여기서 출발합니다'라는 글귀로 생각을 정리해보길 권유합니다. 또한 엘리베이터 문에는 '함께 해보세요'라고 적어 놓아 어색할 수 있는 공간에서의 소셜한 분위기를 유도하기도 합니다.

고객들을 향한 마음을 글로만 표현하지는 않습니다. 고객 경험을 디자인하기 위해 특별 제작한 것들도 있습니다.

눈에 띄는 건 샤워부스에 있는 샴푸와 바디워시입니다. 보통의 호텔에서는 특정 브랜드 제품으로 어메니티를 구성합니다. 특히 5성급 호텔은 어떤 브랜드를 사용하느냐에 따라 고객 경험이 달라지기 때문에 어메니티에 신경을 씁니다. 이를 모르지 않는 시티즌M 호텔은 모바일 시티즌을 만족시키기 위해 기존 제품이 아니라 어메니티를 자체 제작했습니다. 일반적인 구

1
펜에 적혀 있는 문구 덕분에 고객들은 망설일 필요 없이 펜을 가져갑니다. 펜을 기념품으로 제공하는 가장 낭만적인 방법입니다.

2
모바일 시티즌을 탐험가, 도보 여행자, 전문직 종사자 등으로 세분화하고, 각 성향의 사람들이 가볼 만한 곳들을 추천해 지도에 표시합니다.

3
샴푸, 바디워시 등 용도별이 아니라 아침용, 저녁용 등 상황별로 어매니티를 구분했습니다. 고객의 기분까지 배려하는 고객 경험 디자인입니다.

성과 달리 샴푸와 바디워시를 일체형으로 만들어 '시티즌AM' 과 '시티즌PM' 구분해 비치한 것입니다. 이름에서 유추할 수 있 듯이 시티즌AM은 아침의 상쾌한 기분에, 시티즌PM을 밤의 포 근한 상태에 적합한 어메니티입니다. 낯선 형태의 어메니티에 는 새로운 시도를 한 배경을 위트있게 적어 두어 고객 감동을 더 합니다.

또한 새로운 타입의 여행자들인 모바일 시티즌을 위해 지 도도 만들어 배포합니다. 이들을 '탐험가Explorers', '도보 여행자 Trekkers', '전문직 종사자Professional' 등으로 구분해 각 타입의 여 행자들이 갈 만한 곳들을 추천합니다. 지도에서는 '나는 여행객 이 아니라, 모바일 시티즌입니다'라고 말하며 고객들의 정체성 에 대해서 한 번 더 강조합니다. 별거 아닐 수 있지만, 고객들은 이 말 한 마디에 소속감을 느끼며 충성 고객에 한걸음 더 다가 갈 수도 있습니다.

밀착 서비스가 아니어도 적당한 거리에서 고객과 커뮤니 케이션 할 수 있다면 고객 경험의 가치가 높아질 수 있다는 것 을 시티즌M 호텔이 증명하는 셈입니다. 더 적은 비용이 드는 것 은 물론입니다.

호텔의 경영학을 다시 쓴 호텔

"우리의 경쟁자가 누구인지 정말 모르겠습니다."

시티즌M 호텔의 공동 창업자 마이클 레비의 말입니다. 호텔 산업의 주요 사업자를 모른다는 고백일 리 만무합니다. 경쟁자는 알지만 무시할 만한 수준이라는 거만한 표현도 아닙니다. 산업 간 경계가 무너져 경쟁자 파악이 어렵다는 소극적 변명일 리도 없습니다. 기존의 호텔 경영 방식을 재구성해 그동안 경험해보지 못했던 호텔로 만들었기 때문에 경쟁으로부터 벗어날 수 있었다는 뜻입니다.

시티즌M 호텔의 객실 점유율은 90% 수준으로 업계 평균을 상회하고, m²당 수익성은 5성급 호텔의 2배가 넘습니다. 게다가 호텔을 다시 찾은 투숙객 비율은 43%에 육박합니다. '스타일리시', '최첨단', '저렴' 등의 고객 평가가 말로만 그치는 것이 아니라 재투숙으로 이어지는 것입니다. 비용 측면에서의 결과도 인상적입니다. 객실을 표준화해 건설비를 40% 정도 낮췄고, 인건비는 업계 평균 대비 50%가량 줄였습니다. 호텔을 오픈한 첫해부터 수익을 냈고, 10년 만에 8개국에 19개 호텔을 여는 등 탄탄하게 성장하고 있습니다. 보통의 호텔들이 다른 주체가 소유한 호텔에 브랜드를 빌려주며 프랜차이즈 형태로 운영만 해주는 것과 달리, 모든 지점을 직접 소유하고 운영한다는 점도 특징적입니다.

건전한 경쟁은 시장을 더 건강하게 만듭니다. 기업도, 고객도 혜택을 받습니다. 그래서 권장의 대상입니다. 하지만 경쟁자를 모르는 시티즌M 호텔처럼 건전한 독점은 시장을 더 건설적으로 키웁니다. 기업도, 고객도 가치가 올라갑니다. 경쟁이 치열한 시장이라 막막하다면, 경쟁하지 말고 부쟁不爭할 수 있는 방법을 찾아볼 일입니다. 새로운 기회는 옆에 있는 기업의 숨은 정보가 아니라 앞에 있는 고객의 숨은 니즈에서 열립니다.

시간이 흐른다고
클래식이 되는 것은 아닙니다

도시 여행에도 풍경과 비경이 있습니다. 풍경은 도시를 유람하는 모든 이들이 발걸음을 뗄 때마다 눈에 담을 수 있는 권리입니다. 하지만 비경은 그곳을 찾아 나선, 혹은 발견하고자 하는 여행객들에게만 허락된 도시의 숨겨진 모습입니다. 비경을 보기 위해선 마음의 준비를 해야합니다. 드러나지 않았기에 보려는 의지가 중요하며, 알려지지 않았기에 보는 관점이 필요합니다.

비즈니스 아이디어와 인사이트를 얻고 싶은 퇴사준비생의 관점으로 런던의 비경을 탐험했습니다. 시간이 켜켜이 만들어 낸 도시의 실루엣 속에서 거리를 거닐며 런던의 비경을 확인할 때마다 탄성이 터졌습니다. 풍경만으로도 벅찬 도시인데 무심한 듯 반짝이는 비경까지 곳곳에 있으니 걸음을 멈추기가 어려웠습니다. 그리고 런던을 여행하며 마주쳤던 비경을 묘사해《퇴사준비생의 런던》에 기록했습니다.

골즈보로 북스와 피터 해링턴은 제품의 가치를 높이는 방법을 보여준 서점과 헌책방이었고, 바디즘과 B.Y.O.C.는 업의 본질을 다시 바라보게 하는 헬스클럽과 술집이었습니다. 또한 시크릿 시네마와 메이드는 영역 간의 경계를 넘나들며 그동안은 느낄 수 없었던 고객 경험을 제공하는 영화관과 가구점이었습니다. 이외에도 런던에는 서울에서는 경험할 수 없었던 비즈니스 아이디어와 인사이트가 뽐내지 않은 채 자리잡고 있었습니다.

런던의 풍경과 비경 속에서 비즈니스 아이디어와 인사이트를 발견하며 부러웠던 건 '시간'에 대한 접근입니다. 과거를 부정하지 않고 계승해나가면서도 과거에 얽매이지 않고 새로운 시도를 더해가는 방식이 런던을 클래식하면서도 모던하게 만든다는 생각이 들었습니다. 런던은 과거와 현재가 어우러진, 미래 도시였습니다. 그렇다면 어떻게 해야 런던처럼 시간이 쌓아올린 도시의 지층을 구현할 수 있을까요?

시간이 흐른다고 클래식이 되는 것은 아닙니다. 미래에도 남을 현재가 되기 위해서는 비즈니스 결과물을 만들 때 중심축이 되는 철학과 버팀목이 되는 원칙이 있어야 합니다. 트렌드에 휩쓸려 좇아가기에 급급하다 보면 내일에도 남을 풍경을 축적하는 일은 요원합니다. 과거로부터 이어져 왔던 것들 중에 이유가 있는 결과물들은 클래식으로 남아 거인의 어깨가 되는 반면, 이유가 없는 잔재들은 거인의 발목을 잡습니다. 철학과 원칙이 있는 현재가 미래의 클래식이 된다는 보장은 없지만, 그것이 없다면 시간에 따라 사라질 일만 남습니다. 과거에 생겨나 시간을 이겨낸 클래식과 현재에 등장해 시간을 이겨낼 뉴 클래식이 조화를 이룰 수 있다면 도시의 비경이 다채로워지고, 우리의 생활도 풍요로워지지 않을까요?

《퇴사준비생의 도쿄》와 마찬가지로 《퇴사준비생의 런던》도 미래를 고민하고, 주체적인 삶을 살며, 새로운 도전을 추구하는 사람들을 위한 책입니다. 직장인들이 다시 꿈을 꾸고 더 건강한 자신을 찾을 수 있도록 돕는 자극제이자, 퇴사를 고민할 때 사업적 아이디어와 인사이트를 키울 수 있는 참고 자료이자, 당장에 퇴사 계획이 없더라도 각자의 자리에서 틀을 깨는 비즈니스 기회를 만들어 가려는 사람들을 위한 힌트이기도 합니다.

물론 《퇴사준비생의 런던》에서 소개하는 곳들과 설명하는 내용들이 런던을 바라보는 절대적인 관점과 기준이 될 수는 없습니다. 다만, 런던을 비즈니스적으로 이해할 수 있는 하나의 렌즈이자 단초가 될 수는 있습니다. 《퇴사준비생의 런던》이 존재하는 이유는, 이것으로도 충분합니다.

《퇴사준비생의 런던》이 누군가의 클래식이 시작되는 출발점이 될 수 있기를 바랍니다.

《퇴사준비생의 런던》은 마지막 페이지가 없는 책입니다. 더 많은 런던의 비경이 궁금하시면 '퇴사준비생의 여행'을 방문해 보세요.　　　　　　　　　　　　　　　bagtothefuture.co

"궁극적으로 모든 책이 '거대한 한 권의 책'이 되리라고 생각합니다. 모든 디지털책과 종이책은 이 한 권의 책의 일부입니다."

아마존 킨들 개발자 제이슨 머코스키Jason Merkoski가 말하는 콘텐츠의 미래입니다. 책에서 참고한 내용들이 하이퍼링크로 연결되어 거대한 한 권의 책이 될 수 있다는 뜻입니다.

독서 경험은 시작부터 끝까지 한 방향으로 읽는 정적인 독서 경험에서 한 책에서 다른 책으로 넘나들며 역동적이고 다양한 독서 경험을 할 수 있는 환경으로 바뀌고 있습니다. 그래서 《퇴사준비생의 런던》 콘텐츠를 제작하면서 참고했던 책, 잡지, 아티클, 블로그, 동영상 등의 자료들을 링크와 함께 공유합니다. 런던에서 발견할 수 있는 비즈니스 아이디어와 인사이트에 대해 더 많은 궁금증이 생긴다면 참고하시기 바랍니다.

01 골즈보로 북스

- 골즈보로 북스 공식 홈페이지: www.goldsborobooks.com
- 리니 아쿠아비트 공식 홈페이지: linie.com
- 아르쿠스 공식 홈페이지: www.arcus.no
- 술 취한 식물학자(에이미 스튜어트 지음, 구계원 옮김, 문학동네): goo.gl/1frSnu
- Bookseller who bought 250 signed copies of JK Rowling's crime novel before she was unmasked as author refuses to profit, Daily Mail: goo.gl/nV3y3f
- Goldsboro Books set for "record-breaking" year, The Bookseller: goo.gl/dQGwdL
- Goldsboro Books breaks £1m turnover on 18th birthday, The Bookseller: goo.gl/5E46cD
- Linie aquavit, the Norwegian drink that gets its unique taste from crossing the equator, Lords of the Drinks: goo.gl/LTfwCp

02 비타 모조

- 비타 모조 공식 홈페이지: www.vitamojo.com
- See salad, eat fries: When healthy menus backfire, Duke Fuqua: goo.gl/Tyd3kS
- The complete guide to workout nutrition, Greatist: goo.gl/QzkymC
- Nutritional and contractile regulation of human skeletal muscle protein synthesis and mTORC1 signaling, NCBI: goo.gl/T9oe5H
- Health-Driven Tech Restaurant Secures £1.5m of Crowdfunding in Just 24 Hours, Restaurant & Bar tech live: goo.gl/o2AuMt
- London-based startup Vita Mojo raises £3.28m on Crowdcube, UKTN: goo.gl/Xz5hEj
- Entrepreneurs: La Dolce Vita served with a helping of Wall Street mojo, Evening Standard: goo.gl/VbCqC4
- Investing in Food's Future: Vita Mojo Surpasses £2.1M on Crowdcube, Crowdfund Insider: goo.gl/vGYzce
- Lexington partners with Virgin Active, FMJ: goo.gl/KwCpb8
- Elior UK doubles site sales with personalisation kingpin Vita Mojo, Hospitality & Catering News: goo.gl/4CXwn3
- 장사의 신(우노 다카시 지음, 김문정 옮김, 쌤앤파커스): goo.gl/tVRrDp

03 바디즘

- 바디즘 공식 홈페이지: www.bodyism.com
- Love, Bodyism and a golden changing room: Inside The Lanesborough Club & Spa, London's most exclusive new members' health club, The Telegraph: goo.gl/RWrPPD
- Inside the world's poshest gym frequented by David Beckham and Pippa Middleton where Vitamin D lights shine and oxygen is pumped throughout (and with membership at £22,000 a year, you'd hope so!), Daily Mail: goo.gl/mMmWkV
- Profile: Is this the world's most (annoyingly) healthy couple?, Daily Mail: goo.gl/yFuQcG
- 레인즈버러 클럽 & 스파 공식 홈페이지: www.lanesboroughclubandspa.com/the-club-spa
- BODYISM LAUNCHES AT ONE&ONLY HAYMAN ISLAND, Styleicons: goo.gl/fDuitt
- Hotel Gyms In London Worth A Visit, Forbes: goo.gl/GKTcdW
- Amilla Fushi partners with Bodyism, Hotelier Maldives: goo.gl/YigJrH
- Fitness: Bodyism: movement as medicine, Healthclub Management: goo.gl/KKxWd8

04 밥 밥 리카드

- 밥 밥 리카드 공식 홈페이지: www.bobbobricard.com
- 헤르만 지몬의 프라이싱(헤르만 지몬 지음, 서종민 옮김, 쌤앤파커스): goo.gl/bKJk1n
- The complete London 2012 opening ceremony, Olympic: goo.gl/4fvnaM
- 꼼꼼히 비교해 본 베이징올림픽 개막식 vs 런던올림픽 개막식, 고재열의 독설닷컴: goo.gl/9bdgt7
- Eccentric London Restaurant, Bob Bob Ricard, Opens New £3 Million Club Room, Forbes: goo.gl/B7D9Wn
- A Novel Approach Comes to Restaurant Pricing, Bloomberg: goo.gl/YFWkFF
- Top London restaurant pioneers new 'travel industry' pricing model by charging customers different prices for peak and off-peak dining,

Daily Mail: goo.gl/wvmN2X
- London restaurants slash prices for fine wine, Reuters: goo.gl/i2X9Av
- 좋은 넛지, 나쁜 넛지, The New York Times: goo.gl/aNvZkq

05 B.Y.O.C.

- B.Y.O.C 공식 홈페이지: www.byoc.co.uk
- 원가바 공식 홈페이지: genkabar.jp
- Cost of Living Index Rate, Numbeo: goo.gl/z29Qii
- 웨이트로즈 공식 홈페이지: www.waitrose.com
- The price of 1 cocktail drink in downtown club in London is £12, Expatistan: goo.gl/qdSGGh
- Fay Maschler reviews James Cochran EC3: Playtime in the city, Evening Standard: goo.gl/4cTssx
- A drink with Dan Thompson, BYOC, The spirit business: goo.gl/8EPDsV
- The spirits: bring your own booze for the perfect cocktail at BYOC, Evening Standard: goo.gl/eL3pcn
- Alcohol licensing, Gov.uk: goo.gl/8L6B9F

06 조셉 조셉

- 조셉 조셉 공식 홈페이지: www.josephjoseph.com
- 栃木最強！サトーカメラの不思議な経営, 日経ビジネス: goo.gl/rf3eou
- 오모테나시, 접객의 비밀(최한우 지음, 스리체어스): goo.gl/N8qMZF
- 매거진 B No.15 조셉 조셉((주)제이오에이치 지음, 제이오에이치): goo.gl/7tjnH5
- 1만년 관성을 깨다, 조선일보: goo.gl/vRgFCN
- Joseph Joseph shares exporting lessons, The Telegraph: goo.gl/Pftr6s
- The twins powering kitchenware firm Joseph Joseph, BBC: goo.gl/hUpC5r
- Joseph Joseph: how to cut it in kitchenware innovation, The Guardian: goo.gl/NaWuMq
- 10 things we learnt from growing Joseph Joseph's export sales,

Startups: goo.gl/eQqYbx

---

07 시크릿 시네마

- 시크릿 시네마 공식 홈페이지: www.secretcinema.org
- 슬립 노 모어 공식 홈페이지: mckittrickhotel.com
- 맥락을 팔아라(정지원/유지은/원충열 지음, 미래의창): goo.gl/LuTRiU
- 슬립 노 모어(SLEEP NO MORE)(전윤경 지음, 스리체어스): goo.gl/SNdB5H
- 라이브유토피아 공식 홈페이지: www.liveutopia.today
- This company makes millions showing movies you've seen already,
  CNN: goo.gl/oPMki7
- [디자인을 캐스팅한 박스 오피스] 판타지를 현실로 불러온 비밀 영화관,
  시크릿 시네마, 월간 디자인: goo.gl/d9Jsmv

---

08 피터 해링턴

- 피터 해링턴 공식 홈페이지: www.peterharrington.co.uk
- 건축의 표정(송준 지음, 글항아리): goo.gl/eAqFXo
- [뉴스G] 세상 모든 책이 머물다 '헤이온와이', 뉴스EBS: goo.gl/we53vm
- 헌책방 마을 헤이온와이(리처드 부스 지음, 이은선 옮김, 씨앗을뿌리는사람):
  goo.gl/nZsTaW
- The Chelsea Bindery The Processes of Book Binding,
  PeterHarringtonBooks: goo.gl/k71DBJ
- Peter harrington limited, Endole: goo.gl/uFtaCG

---

09 다크 슈가즈

- 다크 슈가즈 공식 홈페이지: www.darksugars.co.uk
- Charlie and the Chocolate Factory(팀 버튼 감독, 2005년 개봉):
  goo.gl/6ozjU5
- Best Hot Chocolate In London, Food insider: goo.gl/LAty6n

---

10 카스 아트

- 카스 아트 공식 홈페이지: www.cassart.co.uk
- 펜타그램 공식 홈페이지: www.pentagram.com
- 얼터너티브 런던 공식 홈페이지: www.alternativeldn.co.uk

- The man on a mission to 'fill this town with artists', The Telegraph: goo.gl/mYstg3
- Entrepreneurs: Cass Art looks outside London on mission to democratise art, Evening Standard: goo.gl/SEBgkh
- Fourth Plinth Schools Awards 2018, London.gov: goo.gl/DXgqaQ

---

11 조 러브스

- 조 러브스 공식 홈페이지: www.joloves.com
- 조 말론 런던 공식 홈페이지: www.jomalone.co.uk
- Jo Malone: My Story(Jo Malone 지음, Simon and Schuster): goo.gl/K6F6q7
- [사람 속으로] 세계적 조명·가구 디자이너 톰 딕슨, 중앙일보: goo.gl/yxGJ64
- "색깔에서 향기를 맡는다"… 난독증 소녀가 만든 '독특한 향수'… 英 왕세손빈 미들턴도 반하다, 한국경제: goo.gl/RCrcpm
- Jo Malone, VOGUE: goo.gl/gSxtAz

---

12 더 모노클 카페

- 디자인의 디자인(하라 켄야 지음, 민병걸 번역, 안그라픽스): goo.gl/Uv8PKA
- 매거진 B Vol.60 모노클(제이오에이치 편집부 지음, JOH & Company): goo.gl/oaPz2D
- 모노클, 미디어를 말하다 - Monocle media summit(정선영 외 1명 지음, 퍼블리): goo.gl/vmt85K
- 글로벌 매거진 '모노클'은 어떻게 종이매체의 건재를 알렸나?, 생각노트: insidestory.kr/15703
- 열성팬 거느린 콘텐츠의 전성시대, 조선비즈: goo.gl/aDmLT3
- 연 35% 성장하는 영 잡지 '모노클' 대표 타일러 브륄레, 동아일보: goo.gl/Jaq2sd
- Monocle magazine funds foreign bureau on sales of tote bags, The Guardian: goo.gl/TSNVfC
- Publishers set up retail operations to diversify revenue, Digiday: goo.gl/ReCu4L
- How Monocle found money in radio, Digiday: goo.gl/eZepg6
- The monocle cafe on 18 Chiltern street, London, UK, Yatzer: goo.gl/DE5P3V

- 타일러 브륄레의 Trend, 잡지를 말하다, 현대카드 현대캐피탈 블로그: goo.gl/UwiHRK
- 큐레이션의 시대(사사키 도시나오 지음, 한석주 옮김, 민음사): goo.gl/kXztt2

---

13 메이드

- 메이드 공식 홈페이지: www.made.com
- Argos, Sainsbury's: goo.gl/27QNbm
- Made.com, WIKIPEDIA: goo.gl/qQmZeg
- Made.com founder: 'We want to be the new Ikea', The Guardian: goo.gl/QWjEJT
- Made.com is crowdfunding its next must-have furniture designs, CITYA.M.: goo.gl/x1cqHE
- Made.com launches crowdfunding initiative for emerging designers, Designweek: goo.gl/uXoUPu
- Made.com launches international competition to find the next big name in design, Creativepool: goo.gl/Fsafiu
- Made.com launches new online mattress business, The Telegraph: goo.gl/UdtBxj
- Made.com competition offers emerging designers opportunity to re-alise and sell their products, Dezeen: goo.gl/DBjnLe

---

14 LN-CC

- LN-CC 공식 홈페이지: ln-cc.com
- 영국 명품 편집 매장 'LN-CC'의 성공 전략, 화이트스톤 돔글라스 블로그: goo.gl/M3AYdX
- 이색편집숍, LN-CC의 크리에이티브 디렉터/바이어, 존 스켈톤, 스타일피쉬 블로그: goo.gl/koo6yn
- 런던발 이색스토어 엘엔씨시*LN-CC, 한국어 사이트 런칭, 스타일피쉬 블로그: goo.gl/QQ4WxT
- Dalston London guide, Movebubble: goo.gl/PUcoFN
- 알렉산더 맥퀸 브랜드 스토리 : 나는 꿈속에서 아이디어를 얻는다, 패션블로거 미오 블로그: goo.gl/wbsAvZ
- [패션히스토리] 알렉산더 맥퀸, 천재 디자이너의 인생, 밴플러의 블로그:

goo.gl/QHGHZm

- John Skelton, LN-CC, AnOther: goo.gl/qCnUx8
- LN-CC Creative director John Skelton & Set Designer Gary Card on the Store's Rebirth, Highsnobiety: goo.gl/YL4Vwh
- The Level Group Buys LN-CC Out of Administration, Business of Fashion: goo.gl/2DQhnj
- BoF 500, John Skelton, Business of Fashion: goo.gl/WwMMrf
- 판타스틱 디자인 백서, W Korea: goo.gl/4U66nT
- 게리 카드…유머와 재기발랄함으로 대중과 소통하다, 헤럴드경제: goo.gl/c4zg6c
- 패션 vs. 패션(박세진 지음, 워크룸프레스): goo.gl/fEKY7m
- 런던 수집(이은이/김철환 지음, 세미콜론): goo.gl/XU6okD
- Design Museum announce shortlist for Designs of the Year 2012, Dezeen: goo.gl/jCbfSy
- 레이디 가가 "노래와 공연의 영감은 패션이다" 이번 투명옷으로 얻은 영감은?, 한국경제: goo.gl/tBeSBR
- Moynat joins the LVMH portfolio, The Australian: goo.gl/8WAuGc
- Interview with Daniel Mitchell, Krossfingers: goo.gl/4zZMhs

15   바쉬

- 바쉬 공식 홈페이지: www.vashi.com
- Rings and Promises, Margaret F. Brinig: goo.gl/huHSqk
- GIA 공식 홈페이지: www.gia.edu
- 경제학을 입다/먹다/짓다(박정호 지음, 한빛비즈): goo.gl/E3F6Zm
- 영원한 사랑의 증표, 드비어스, 조선닷컴: goo.gl/EAQq7V
- How do I become a diamond trader, The Guardian: goo.gl/bZV54F
- Diamond geezer learns to sparkle, The Telegraph: goo.gl/ZVnJXa
- Diamonds are Vashi Dominguez's strong suit, Evening Standard: goo.gl/FrgW3K

16   큐비츠

- 큐비츠 공식 홈페이지: www.cubitts.co.uk
- Retail Business of the Year 2016, Startups: goo.gl/Lnymgm
- 영화 '킹스맨', 영국신사의 매력 속으로! - 영국 수트의 발상지 새빌로우와 신사의

거리 저민 스트리트 구경하기, 주한영국문화원 공식 블로그: goo.gl/SNDJ8y
- NHS Glasses, People's History of NHS: goo.gl/wA4oXR
- Cubitts: Challenging the experience in eyewear,
  The Challenger Project: goo.gl/LsNqkR
- Handmade in King's Cross: the return of craft to the capital,
  Gas Holder: goo.gl/f6Tq3w
- 5 Men's Eyewear Brands You Should Know, Fashion Beans:
  goo.gl/tiwti4
- Cubitts, Last Style of Defense: goo.gl/a2UFvL

17   로버슨 와인

- 로버슨 와인 공식 홈페이지: www.robersonwine.com
- 런던 크뤼 공식 홈페이지: www.londoncru.co.uk
- London Cru is central London's first winery, The drinks report:
  goo.gl/FBehJG
- London Cru: welcome to London's first winery, The Telegraph:
  goo.gl/7cV31Z
- London Cru doubles production of english wine, The drinks business:
  goo.gl/bb2hc5
- London cru: A visit to London's first winery, Londonist: goo.gl/hWczdL
- The first wines released from urban winery London Cru,
  Jamie Goode's wine blog: goo.gl/8oTEjj
- London's first winery, Creative Pool: goo.gl/RE3FXL
- Fancy a Côtes de Hammersmith? SW6 welcomes London's first winery, Evening Standard: goo.gl/kHQ4mj
- 'Top 10 Engagement Party Venues in London, Venue Scanner:
  goo.gl/Hzg9HX
- London Cru loses part of crop to rot, The drinks business:
  goo.gl/i44RGc
- [와인 재테크] 네고시앙의 역할, 한국경제매거진: goo.gl/55ZioX
- Central London winery denied vintages and grape names on labels,
  Decanter: goo.gl/LYZ1Vd
- London's first boutique winery to open in November, Decanter:
  goo.gl/GJmpTb
- [와인 & 스토리] 나폴레옹이 사랑한 '버건디' 와인, 중앙일보: goo.gl/Pw6mhz

- 비즈니스가 쉬워지는 THE WINE (진희정/은대환 지음, 교보문고): goo.gl/Jk7yUr
- 파리의 심판 (조지 M. 태버 지음, 유영훈 옮김, 알에이치코리아): goo.gl/6q56JD
- Who's for a glass of Chateau London? A group of intrepid wine makers have set up Britain's first urban winery. The results? Absolutely capital!, Daily Mail: goo.gl/viRbAp

---

18 시티즌M 호텔

- 시티즌M 호텔 공식 홈페이지: www.citizenm.com
- 좌석 업그레이드 경매를 아시나요?, 항공여행정보: goo.gl/QsRv1U
- 블루오션 시프트(김위찬/르네 마보안 지음, 안세민 옮김, 비즈니스북스): goo.gl/FLpxp4
- 5성급 분위기에 3성급 요금... 투숙률 90% 시티즌엠호텔, 한국 경제: goo.gl/mS7ft9
- 공유 공간은 럭셔리, 객실은 소박! 스마트한 비용 절감, 부티크 호텔 신화 다시 썼다, 동아비즈니스리뷰: goo.gl/pNXbMA